Le Cœur prisonnier
de Béatrice Côté
est le cinq cent quatre-vingt-dix-neuvième ouvrage
publié chez
VLB ÉDITEUR
et le premier de la collection «Tournant».

D0270812

VLB éditeur bénéficie du soutien du ministère du Patrimoine du Canada et de la Société de développement des entreprises culturelles du Québec pour son programme d'édition.

Nous remercions le Conseil des Arts du Canada de l'aide accordée à notre programme de publication.

LE CŒUR PRISONNIER

Béatrice Côté

LE CŒUR PRISONNIER

roman

vlb éditeur

VLB ÉDITEUR
Une division du groupe Ville-Marie Littérature
1010, rue de la Gauchetière Est
Montréal, Québec H2L 2N5
Tél.: (514) 523-1182
Téléc.: (514) 282-7530
Courrier électronique: vml@sogides.com

Illustration de la couverture: *Purity And Passion,* Franz Dvorak

DISTRIBUTEURS EXCLUSIFS:

• Pour le Québec, le Canada et les États-Unis:
LES MESSAGERIES ADP*
955, rue Amherst
Montréal, Québec H2L 3K4
Tél.: (514) 523-1182
Téléc.: (514) 939-0406
* Filiale de Sogides ltée

• Pour la Belgique et le Luxembourg:
PRESSES DE BELGIQUE S.A.
Boulevard de l'Europe, 117
B-1301 Wavre
Tél.: (010) 42-03-20
Téléc.: (010) 41-20-24

• Pour la Suisse:
TRANSAT S.A.
Route des Jeunes, 4 Ter
C.P. 125
1211 Genève 26
Tél.: (41-22) 342-77-40
Téléc.: (41-22) 343-46-46

• Pour la France:
D.E.Q.
30, rue Gay Lussac, 75005 Paris
Tél.: 01 43 54 49 02
Téléc.: 01 43 54 39 15
Courrier électronique: liquebec@imaginet.fr

© VLB ÉDITEUR et Béatrice Côté, 1998
Dépôt légal – 1er trimestre 1998
Bibliothèque nationale du Québec
Bibliothèque nationale du Canada
ISBN 2-89005-679-1

PREMIÈRE PARTIE

Chapitre 1

— Je serai là ce soir, pas un jour de plus. Je te le promets, Bernard... Je t'aime...

Julie raccrocha la ligne en prenant une profonde respiration. Se contrôler, toujours se contrôler: tiendrait-elle le coup encore longtemps? Elle tremblait sous son manteau de laine et avait de la difficulté à respirer. Elle sortit un mouchoir en papier de son sac à main et le posa sur sa bouche; voilà, les larmes coulaient. Mais au milieu de la foule, comment éviter de se faire remarquer, comment se laisser aller et être enfin soi-même? Elle essuya discrètement ses yeux. Un homme la bouscula:

— J'ai un téléphone urgent à faire, madame! protesta-t-il. Et puis ce n'est pas la place, s'il vous plaît!

Julie se fit toute petite, ramassa sa valise et s'éloigna. Elle avait l'habitude maintenant. Personne n'aime côtoyer la souffrance des autres, même de purs étrangers. Au bout de son bras, la valise pesait une tonne.

La circulation humaine dans l'aéroport l'étourdissait: tous ces gens qui couraient, s'appelaient et s'embrassaient en emmenant leurs rêves les plus précieux dans leurs bagages. Elle, elle ne rêvait plus. La foule de l'aéroport Charles-de-Gaulle n'était pas l'endroit idéal pour se réfugier. Y en avait-il un seul où elle aurait pu se cacher pour pleurer toutes les larmes de son corps, et puis oublier, tout oublier?

Julie marchait comme un automate vers la porte d'embarquement du vol Paris-Montréal. Quand elle le voulait, elle réussissait assez bien à afficher cet air posé et souverain qui rassurait tant amis et collègues de travail: celui d'une femme de trente-quatre ans, jolie et élégante, libraire de profession, accomplissant un ou deux voyages d'affaires par an, dont celui-ci au Salon du livre de Paris, en mars de chaque année. D'ailleurs, avec sa coupe au carré se terminant à l'épaule et encadrant sagement son visage, avec son maquillage presque inexistant, ses jupes amples maxi, ses gilets de velours ou de coton, et ses blouses blanches à col Claudine, elle conservait une allure estudiantine qui pouvait donner le change.

En voyant sa démarche dégagée, qui aurait pu soupçonner qu'elle tremblait intérieurement? C'est vrai qu'elle n'avait jamais eu aussi peur de toute sa vie. Les pires tempêtes de neige annoncées dans les journaux, par exemple, ne déclenchaient pas le dixième de l'appréhension qui l'habitait en permanence depuis plusieurs années. Alors fallait bien que son corps en témoigne par moments puisque cette peur, elle devait la vivre seule. Personne ne voulait vraiment l'entendre, et il n'y avait nulle part où aller pour se reposer et enlever son masque...

Bernard l'attendait à Montréal, il n'y avait que ça qui comptait. Et le courage surhumain qu'elle devrait trouver d'ici là pour lui faire face à nouveau et sourire.

*

— *Here's your place, darling!*

Julie sursauta et tourna la tête en direction de cette voix langoureuse qui venait de la sortir de sa torpeur. Une beauté fatale, à la tenue extravagante, s'agitait dans le couloir de la section première classe du Boeing. Son charme avait manifestement opéré sur le commandant aux tempes grisonnantes qui avait permis qu'elle montât à bord pour dire au revoir à un passager, et qui attendait patiemment de la raccompagner vers la sortie. Entre ses paupières gonflées, Julie entrevit la silhouette du passager à qui la jeune femme venait d'adresser ses recommandations affectueuses: il s'assit à côté d'elle.

— *I'm sorry,* dit-il sèchement pour s'excuser de l'avoir dérangée.

De grands verres fumés mangeaient le visage de l'homme à la voix grave et mesurée, et d'allure racée. «Maître de lui-même», pensa Julie en remarquant son port de tête fier, ses gestes assurés. Et elle reprit sa position, le front tourné vers le hublot. Les tranquillisants qu'elle avalait régulièrement venaient encore de faire un petit miracle et elle ne lutta pas contre l'engourdissement qui la berçait. Comme elle venait de fermer les paupières, elle entendit à nouveau la vamp glisser un mot à l'oreille de son compagnon, cette fois à propos d'elle:

— *I'm glad, she's old.*

Julie se retint de sourire.

À dix-sept ans, elle-même considérait sa mère d'à peine quarante ans comme une dame d'une autre époque. Mais à dix-sept ans, le monde nous appartient, alors qu'à trente-quatre, ce même monde est souvent en train de s'écrouler.

Pourquoi? Quand on commence à connaître sa force et à prendre les moyens pour s'exprimer, quand on commence à se libérer de ses cauchemars d'enfant, pourquoi faut-il que la peur renaisse sous d'autres visages?

Entraînée par ce tourbillon de questions angoissantes, Julie sombra dans un profond sommeil. Plus tard, un grondement sourd et insistant la ramena lentement à la conscience. Elle n'ouvrit pas les yeux, et se contenta de se pelotonner davantage sur son siège. Elle retrouva intact le fil de ses pensées...

Elle avait rencontré Bernard à dix-sept ans, à un party d'étudiants. Il avait l'air plus déterminé que les autres, plus sérieux aussi. C'est ça qu'elle avait aimé en le voyant, la gravité dans ses yeux, le sentiment qu'on pouvait compter sur lui. Il était déjà dans la vraie vie, alors qu'elle n'y était pas encore entrée. Elle lui avait souri en s'assoyant à côté de sa meilleure amie alors qu'il était à l'autre bout de la pièce. Elle avait fait semblant d'écouter Diane, mais l'avait cherché du coin de l'œil. Brusquement, il s'était penché vers elle...

Une terrible secousse sortit Julie de sa somnolence.

— Qu'est-ce qui se passe? s'écria-t-elle en se jetant contre l'homme assis à ses côtés, incapable de contrôler la panique qui s'emparait d'elle.

L'homme aux verres fumés pointa son index vers le hublot en marmonnant quelque chose qu'elle n'arrivait pas à comprendre. Une seconde secousse ébranla l'avion. Des passagers poussèrent des cris. D'autres coururent dans l'allée, pressés de reprendre leur place. Quelqu'un hurla: «On va tomber!» et des gémissements de peur s'élevèrent ici et là, malgré les exhortations au calme de l'hôtesse.

Tout s'obscurcit dans la tête de Julie qui s'agrippa au bras de l'étranger.

— Je vous en prie, ne me lâchez pas! supplia-t-elle. Ne me lâchez pas!

À la troisième secousse, elle se mit à se débattre, en cherchant désespérément son souffle. Alors une pression sur sa nuque l'immobilisa. D'une main ferme, l'étranger plaqua le visage de Julie contre son épaule et lui ordonna:

— *Take a deep breath! Take a deep breath!*

Instinctivement, elle arrêta de lutter et s'abandonna...

Petit à petit, elle retrouva son souffle et ses esprits...

Quand elle rouvrit les yeux, l'étranger remontait une couverture sur ses épaules; il l'informa de la situation:

— L'avion a fait demi-tour et nous venons d'atterrir à Terre-Neuve. C'est la tempête du siècle.

L'homme parlait français avec un fort accent américain. Il s'adressait à Julie avec courtoisie, mais son sang-froid la mit soudainement mal à l'aise.

— Excusez-moi, bafouilla-t-elle.

Ses doigts lâchèrent prise, la manche de l'homme était toute froissée, et Julie se laissa glisser dans son siège, exténuée. Par le hublot, elle vit des rafales de neige danser dans toutes les directions. Ce n'était qu'une tempête, elle n'avait pas peur de ces tempêtes-là, pensa-t-elle. Pourtant, à cet instant précis, aurait-elle pu se tenir sur ses jambes? Elle en doutait.

Régnait dans l'appareil une certaine cohue. Anxiété, colère, déception s'emmêlaient dans les voix des femmes et des hommes que cet arrêt forcé à Saint John's éprouvait pour différentes raisons. Brigitte, hôtesse au sourire engageant et au calme olympien, était débordée par leurs demandes. Comme si elle avait réponse à tout, le copilote qui sortit de la cabine de pilotage s'adressa aussi à elle, mais devant son signe de tête négatif, il dut se frayer un chemin dans le couloir encombré. Ses traits contractés se détendirent à l'apparition d'une seconde hôtesse, à l'entrée du couloir de la deuxième classe. La jeune femme rousse parut elle-même transfigurée à la vue du jeune homme.

— Est-ce que ça va ici?

Julie, qui observait les jeunes gens, tressaillit à la question que Brigitte lui avait posée avec sollicitude.

— La couverture que le steward vous a apportée vous réchauffe suffisamment? ajouta l'hôtesse.

— Oui, merci pour tout, répondit Julie.

— *Are we staying here for long?* s'informa l'étranger.

— *An hour, at least. I'll keep you informed.*

Brigitte s'éloigna et échangea quelques mots avec François, le steward. L'air aigri qu'il prenait à son approche contrastait avec le visage serein qu'il offrait aux passagers.

Julie en profita pour remercier son bon Samaritain:

— Sans vous, je ne sais pas ce que je serais devenue.

L'homme se contenta de hocher la tête.

*

Le calme était revenu dans l'avion, mais à l'extérieur où la tempête faisait rage, un va-et-vient de voitures s'effectuait en permanence autour de l'appareil. Le commandant sortit de sa cabine et prit le microphone que Brigitte lui tendit. Il se présenta d'abord, d'un ton cérémonieux:

— Gérard Tanguay, à votre service.

Puis après avoir salué les passagers et les avoir assurés que tout était sous contrôle, il les avertit qu'ils devraient passer la nuit à Terre-Neuve. Des autobus seraient mis à leur disposition d'ici peu et les conduiraient à l'hôtel.

— Il nous faudra attendre les prévisions météorologiques de demain, souligna-t-il, pour juger ultérieurement de la situation...

Un bruit sec retentit brusquement dans l'atmosphère recueillie. Le voisin de Julie se pencha et ramassa quelques menus objets sur le plancher, dont un tube de pilules qui avait roulé à ses pieds. Il les lui remit alors qu'elle se redressait en s'agrippant à son sac qu'elle avait laissé tomber par mégarde.

— Vous croyez qu'on rentrera chez nous demain? lui demanda-t-elle à voix basse.

— Je crois qu'on est entre bonnes mains, répondit-il, et c'est ce qui compte. On rentrera dès que le temps le permettra.

— Le temps? reprit-elle avec un accent douloureux.

— La tempête ne durera pas éternellement, fit-il avant de tourner la tête vers le commandant qui terminait son discours.

Julie ferma les yeux et se cala dans son fauteuil, les bras refermés sur son sac. «Le temps... le temps... le temps...» Ces mots battaient à ses tempes, leitmotiv oppressant.

Beaucoup plus tard, lui sembla-t-il, une main effleura son bras. Elle rouvrit les yeux:

— Vous êtes sûre que ça va aller? s'enquit son voisin.

— Oui, oui, merci.

Après un signe de tête, il se leva et intégra la file des passagers qui quittaient l'avion.

Julie les regardait sortir avec ordre et discipline, et enviait leur résignation, la facilité avec laquelle ils se soumettaient au changement, la dignité qu'ils mettaient à abdiquer devant la fatalité. Elle n'avait jamais appris ce stoïcisme-là, discret, efficace et nécessaire dans les moments extraordinaires de la vie. Elle n'avait pas eu le temps d'apprendre et le déplorait amèrement.

La section de première classe était vide, mais Julie demeurait prostrée dans son fauteuil, obsédée par une seule réalité. Elle ne serait pas à Montréal ce soir! Et demain? Comment expliquer ça à Bernard par téléphone? Surtout, comment le lui annoncer?

— Si je vous donne un coup de main, vous tiendrez le coup jusqu'à l'hôtel?

La voix de l'Américain la sortit de sa léthargie. Debout dans l'allée, les mains sur les hanches, avec ses éternels verres fumés qui lui donnaient un air d'intouchable, cet homme semblait n'avoir peur de rien.

Julie répondit d'une voix brisée:

— Je ne sais pas...

— *Come on,* trancha-t-il en s'avançant vers elle. On n'a pas de temps à perdre.

L'homme aida Julie à s'habiller, la soutint par la taille tout le long du trajet de l'avion à l'hôtel. Aux questions qui tournoyaient autour d'eux, elle l'entendait riposter: *«Yes, she'll make it! If only you let her breathe!»* Elle sentait sa tête ballotter entre l'épaule et le cou de l'étranger. Elle sentait le bras de cet étranger la soulever carrément de terre quand le sol se dérobait momentanément sous ses pas. Elle entrevoyait les masses sombres des corps que, de son bras libre, il écartait sur leur passage.

D'une voix autoritaire, l'homme dictait à Julie ses gestes: se baisser, descendre des marches, s'asseoir, se relever, marcher. À l'exception de cette voix, tout sombrait pour la femme dans un magma indifférencié. Les hurlements du vent dans la tempête, le froid mordant, la bousculade des passagers dans l'autobus les menant à l'hôtel, la pensée obsédante de son mari, tout se confondait en un seul, gigantesque, cyclone dans sa tête.

Il y eut enfin une grande chaleur qui l'envahit de toutes parts, et la voix pour déclarer:

— Voilà, vous êtes arrivée.

Et à la voix, Julie répondit:

— Excusez-moi, j'ai peur de ne plus pouvoir...

Puis tous les sons s'éteignirent d'un seul coup.

*

Alain Dufour avait terminé l'examen de Julie. Il lui avait servi toutes les questions que sa fonction l'obligeait à poser pour établir son diagnostic et il avait écouté en retour ce que sa patiente aux cheveux de jais et aux yeux noisette avait senti le besoin de «confesser» en surplus pour se soulager.

Il haussa les épaules en signe d'impuissance.

— Il n'y a que le repos et la résolution de vos problèmes personnels, madame Hénault, qui puissent atténuer vos crises aiguës de panique. Je ne vous apprends rien, n'est-ce pas?

— Non, docteur. C'est la raison pour laquelle je tenais à ce que vous ne vous dérangiez pas pour moi...

— Je me devais d'examiner certains passagers, alors pourquoi pas vous?

Allongée dans sa chambre d'hôtel, Julie boutonna sa chemise de nuit.

Le médecin aux cheveux blancs, qui allait sur ses soixante-quinze ans, faisait partie des passagers de première classe du vol Paris-Montréal. L'atterrissage forcé dans des conditions difficiles avait déclenché plus d'un symptôme inquiétant chez nombre de voyageurs. L'humanisme et le professionnalisme d'Alain Dufour l'avaient donc incité à se mettre au service des passagers et des membres de l'équipage qui en avaient besoin. Son caractère franc et généreux offrait toutes les garanties d'honnêteté et de discrétion que l'on pouvait souhaiter d'un homme dans sa profession, et Julie aurait aimé pouvoir se confier davantage à lui. Il avait cependant beaucoup d'autres visites à effectuer en cette fin de journée.

— Devant la souffrance, conclut-il, qui oserait prendre sa retraite?

Il saisit le tube de tranquillisants posé sur la table de chevet et en étudia la posologie.

— C'est ce qu'il y a de mieux dans votre état, mais il ne faudrait pas en abuser. Aujourd'hui, gardez le lit. Faites monter votre souper. Demain par contre, je veux absolument que vous retrouviez les autres. La solitude ne vous aidera en rien.

— Je ne serai pas seule, je vais téléphoner à mon mari.

— Impossible. La tempête a coupé les lignes téléphoniques.

À cette nouvelle, Julie se mordit les lèvres, ses yeux s'embuèrent. Le docteur s'assit au bord du lit et serra les mains glacées de la patiente dans les siennes.

— La meilleure façon de vous soigner est de vous changer les idées. Pour le moment, l'île est coupée de l'extérieur. On se retrouve comme sur un bateau pris dans les glaces. Vous ne pouvez rien y faire. Je suis sûr que votre mari sera informé de ce délai.

Julie hocha la tête, mais sa respiration se fit tout à coup difficile. Alors le docteur prit la jeune femme par les épaules et éleva la voix:

— Écoutez-moi! Il faut vous ressaisir! Il n'en tient qu'à vous de vivre votre séjour dans cet hôtel comme une condamnation ou une bénédiction.

À la protestation de Julie, le docteur insista d'un ton plus sévère encore:

— Oui, bénédiction! Depuis quand n'avez-vous pas pris de vacances? Quelle est la dernière fois où vous vous êtes gâtée, où vous avez pu mettre vos tracas de côté et ne penser qu'à vous?

— Je ne peux...

— Vous le pouvez! Et vous vous le devez!

Là-dessus, Alain Dufour se leva, le teint rosi par l'émotion.

— J'avais une fille comme vous, qui exigeait trop d'elle-même, et elle l'a payé très cher. Alors, je vous le répète, sortez de votre isolement! On passe tous à travers des épreuves difficiles. On ne réussit à les affronter et à les vaincre qu'en prenant du recul, en les perdant de vue de temps à autre.

Julie sourit timidement et répondit:

— Je vais essay...

— Vous n'essaierez pas! Vous allez le faire!

Le docteur écrivit dans son carnet, arracha une page et la tendit à sa patiente:

— Voici ma prescription!

Julie se mit à rire en lisant l'ordonnance du médecin et lui serra la main chaleureusement.

— Merci pour votre écoute, docteur Dufour.

— Appelez-moi Alain, vous me ferez sentir plus jeune.

— Moi, c'est Julie, dit-elle, la voix ragaillardie.

— Voilà qui est mieux, Julie. On se revoit donc demain, en bas, pour le déjeuner.

— J'y serai.

Le pas fatigué, le dos voûté, Alain sortit.

Le silence se referma sur Julie avec une violence inhabituelle. Était-ce qu'au fond d'elle-même, elle avait encore plus faim de la présence du monde qu'elle ne s'imaginait ou ne voulait se l'avouer? Son regard se porta sur le téléphone. Même si Bernard comprenait la situation, l'accepterait-il? Julie s'enfonça sous les couvertures.

Oui, Bernard comprendrait la situation comme pour la première fois, après qu'elle lui eut souri de toutes ses dents à ce party d'étudiants. Elle avait fait semblant d'écouter Diane, mais l'avait cherché du coin de l'œil. Brusquement, il s'était penché vers elle et l'avait invitée à danser. Elle avait refusé énergiquement, pourtant il était revenu l'inviter à danser une heure plus tard et, cette fois, elle s'était presque jetée dans ses bras. Il avait donc compris qu'il fallait laisser du temps à cette fille pour apprivoiser son désir, pour apprivoiser le bonheur fou à portée de sa main quand elle le regardait dans les yeux et lui souriait de toutes ses dents. Il avait accepté que son invitation à danser fît aussi peur à cette fille que le sourire de cette fille l'avait désarmé, lui, et condamné à lui serrer la taille sur la piste de danse en tremblant, sans pouvoir dire un mot...

CHAPITRE 2

— Ici, Julie!

Debout au fond de la salle à manger, le vieux médecin faisait signe à Julie de le rejoindre. Elle se dressa sur la pointe des pieds et lui envoya la main. Ouf! Au milieu de la foule qui se massait devant le buffet et se pressait autour des tables, le visage familier d'Alain la rassura. Elle tricota du mieux qu'elle put entre les épaules, les enfants et les plats qui se portaient à la hauteur des ventres, et atteignit le fond de la salle.

Alain vint à sa rencontre. Ils se firent la bise comme de vieux amis et il l'entraîna vers les fenêtres:

— Voyez ce que je vous ai dit! déclara-t-il. Nous sommes à bord d'un bateau pris dans les glaces.

Alain désignait du doigt le paysage qui se dessinait par les fenêtres panoramiques. Aveuglée par la lumière, Julie posa une main en visière au-dessus de ses yeux. Le tableau était à couper le souffle: un désert blanc là où devaient se trouver des champs clôturés, sillonnés de sentiers, ouvrant sur la perspective de la mer. Or ce tableau n'offrait aucune dénivellation visible au regard et la brume qui s'élevait sur son fond gommait toute trace de couleur, autant du ciel que de la mer. Dans ce désert uniforme, plat, infini, l'hôtel était bel et bien prisonnier.

Puis prenant Julie par les épaules, il l'amena vers la table où six convives s'étaient installés. Les hommes se levèrent.

— Chers amis, je vous présente Julie! Julie, voici les gens du voyage!

— Voyage dans l'immobilité selon toute apparence! lança Gérard, le commandant, trônant à un bout de la table et à qui le médecin présenta Julie en premier.

— L'immobilité, ça n'existe pas! Il y a du mouvement, un devenir dans tout état, même le plus stable ou figé! rectifia le médecin qui continua sans plus les présentations.

À droite du commandant, Simon le copilote et Shirley l'hôtesse aux cheveux roux s'étaient apparemment retrouvés sous de meilleurs auspices. Ils la saluèrent d'un sourire timide mais sincère. À côté de Shirley, Brigitte; elle lui donna une poignée de main vigoureuse en émettant le vœu que la voyageuse se porte mieux. À l'autre bout de la table, François, le steward, exhibait son aigreur d'une façon plus affichée que la veille. Sa poignée de main peu cordiale en témoigna. Enfin à gauche de Julie, Tom le bon Samaritain fut le dernier à être présenté. Élancé et musclé, de quelques années plus âgé qu'elle, l'homme n'avait pas perdu sa mine sévère ni ses verres fumés. Julie lui serra la main avec reconnaissance.

Les présentations faites, tous se rassirent et le brouhaha des conversations s'éleva à nouveau autour de la table. Julie se retrouva encadrée par Tom et Alain qui se pencha aussitôt vers elle.

— Écoutez, je vais me remplir une deuxième assiette. Je peux passer au buffet pour vous, mais à une seule condition: vous mangerez tout ce que le médecin mettra dans votre assiette.

— Promis! répondit-elle.

Il se leva. Et touchée par cette attention, Julie effleura la main fripée posée sur son épaule. Alain n'avait-il pas senti la fébrilité dans sa voix, son souffle court, ses regards aux abois au milieu de cette foule criarde? Le commandant aussi probablement qui lui lança d'un ton suffisant:

— Beaucoup de bruit, n'est-ce pas? Mais on s'habitue. Dans cinq minutes, vous n'entendrez plus que mon copilote déglutir ses œufs comme s'il n'avait pas mangé depuis des années... à moins que ce ne soit son nouveau travail de nuit qui lui enlève toutes ses forces! Qu'est-ce que t'en penses, Shirley?

Shirley regarda Simon, puis son supérieur, d'un air faussement étonné tandis qu'elle rougit jusqu'aux oreilles.

— Vous savez bien, balbutia-t-elle, que Simon et moi, on est... on est copains depuis toujours.

— «Toujours», c'est un trop grand mot pour une enfant de ton âge, répliqua le commandant que son propre mot d'esprit sembla ravir. Tu vois, il te fait déjà mentir.

— Sale con... marmonna François.

— Mais rien de mieux qu'une catastrophe pour découvrir le vrai visage des gens! lança Brigitte, les joues en feu.

Sa voix forte avait noyé l'injure du steward, émise à voix basse, mais qui n'avait pas échappé à Julie. Puis la blonde hôtesse tira la queue de cheval de Shirley et, en s'efforçant d'être enjouée, ajouta à l'adresse de Simon:

— Mais n'en profite pas pour me voler ma meilleure amie! Tu sais que pour moi l'amitié, c'est plus important que l'amour.

— Ah ça, je sais! Tu n'aimes pas les hommes, tu aimes les conquérir!

— Simon! s'écria Shirley d'un ton de doux reproche.

— Non, non, Shirley, continua Brigitte, laisse. Simon, c'est comme un frère pour moi, et il en profite.

Tandis que les jeunes gens se taquinaient, Julie se tourna vers Tom pour lui annoncer une bonne nouvelle:

— J'ai entendu dire que tout pourrait rentrer dans l'ordre d'ici vingt-quatre heures...

— Non, pas avant quelques jours, l'interrompit François sans lever les yeux de son assiette.

Sa voix glaça les convives. Avec sa carrure d'athlète, son air buté et ses cheveux rebelles, le steward faisait bande à part.

— Tu inquiètes inutilement nos invités! riposta le commandant. Et tu oublies ta place!

Puis regardant Julie et Tom, Gérard ajouta d'un ton mielleux:

— Je vous assure que la situation se rétablira sous peu. Je regrette que certains se plaisent à fabuler des scénarios tous plus farfelus les uns que les autres.

En prononçant les derniers mots, il avait lorgné Brigitte, ce qui n'échappa guère à François qui leva sur son commandant un regard de défi.

— Quand on est vrai avec soi-même, on ne sent pas le besoin de maquiller la vérité aux autres!

Sur les entrefaites arriva Alain avec deux assiettes pleines dont l'une atterrit devant Julie. François remit le nez dans ses œufs. Et avec le désir évident de changer de sujet, Gérard demanda à Tom:

— Est-ce que vous vivez la réalité d'une «catastrophe», pour reprendre l'expression de Brigitte tantôt, de la même manière que vous la joueriez au cinéma?

— Non, dans la réalité je la vis avec moins de naturel qu'à l'écran, répondit Tom avec désinvolture.

Gérard s'esclaffa et lança à Brigitte qu'elle devrait revoir ses notions de psychologie.

— Non, je ne le pense pas, répondit-elle, piquée au vif.

— Il s'en fout de ce que tu penses! grommela François entre ses dents.

À cette remarque, Brigitte posa sur François un regard tour à tour furieux et accablé. Shirley s'interposa en demandant à son amie un renseignement sans conséquence. Brigitte fit manifestement un effort pour retrouver sa bonne humeur. D'autres voix se mirent de la partie et les discussions reprirent avec entrain.

Julie, qui étudiait la physionomie de son voisin de table, se résolut à lui avouer son embarras:

— C'est étrange. Je ne vous ai pas reconnu dans l'avion, Tom Stevens. Et j'ai encore peine à vous reconnaître maintenant. Pourtant j'ai vu plusieurs de vos films... mais il est vrai que je ne suis pas retournée au cinéma depuis plusieurs années.

Tom inclina la tête et la remercia:

— Le plus beau cadeau qu'on puisse me faire, c'est l'anonymat.

Le repas se déroulait dans une atmosphère survoltée. Le temps des vacances et des règlements de comptes tout à la fois, pensa Julie que sa fragilité émotive rendait sensible à la moindre tension qui se logeait dans les voix. Elle se sentait quelque peu démunie à cette table devant les drames qui se jouaient en coulisse, derrière les visages impassibles ou fermés des convives.

Le commandant parlait trop fort et faisait circuler avec ostentation les photos de ses grands enfants que ni François ni Brigitte ne daignèrent regarder. Shirley souriait de plus belle quand Simon s'adressait à elle à voix basse, mais malgré son bonheur éclatant, une lueur d'angoisse brillait au fond de sa prunelle. Les yeux bleus pétillants, Brigitte assaillait Tom Stevens de questions, sans prendre ombrage de la froideur que l'acteur affectait. En fait, elle cherchait par tous les moyens à oublier la présence de François qui les observait en permanence, mais avec un détachement feint. Et le docteur, en véritable patriarche, orchestrait le tout avec ses constats drolatiques sur la condition humaine.

Julie faisait semblant d'écouter, de participer, en hochant la tête. En réalité, l'épuisement nerveux la gagnait. Elle cherchait mentalement une excuse pour se retirer, quand le docteur lui prit la main.

— On a presque terminé notre petit-déjeuner et on ne vous a pas entendue une fois.

Puis s'adressant aux autres convives, il ajouta:

— Vous avez sûrement des questions à poser à cette jeune libraire qui a lu plus de livres que nous tous réunis. Imaginez! Elle peut mettre à notre disposition son expérience infinie des passions humaines.

Le ton grandiloquent du docteur et sa galanterie d'une autre époque firent sourire les convives. Et il glissa à l'oreille de sa protégée:

— Ne pensez qu'à l'instant présent, et le sentiment de panique va disparaître. Je vais vous chercher une tisane calmante.

— Vous êtes un ange, soupira-t-elle.

Au dernier mot, Alain parut songeur.

— Oui, vous ressemblez beaucoup à ma fille, murmura-t-il.

Les questions fusaient au même instant autour de Julie. Après de pénibles efforts pour répondre, ses réparties coulèrent ensuite de source. Quand le docteur revint avec la tisane, elle avait retrouvé une certaine quiétude. Ce fut au tour de Gérard de demander, dans le but évident de la coincer:

— On dit que les jeunes ne lisent plus, qu'on entre dans l'ère de l'audiovisuel, est-ce que la littérature n'aurait pas pour pire ennemi le cinéma?

Et le commandant avait désigné l'acteur du doigt. Sa question fit pouffer de rire plusieurs et siffler Simon. Les échanges se poursuivaient de toute évidence sous le signe de l'humour, grinçant pour certains. Et Julie de répliquer:

— Je n'oppose pas la littérature au cinéma, pas plus qu'un fruit à un légume, parce qu'ils s'équivalent. Ils répondent différemment au même besoin d'expression chez un esprit créateur. Mais je fais la distinction entre deux types de consommateurs. J'oppose, par exemple, l'inconscience des uns à la sensibilité des autres.

On applaudit la libraire d'un même élan du cœur, sauf Gérard qui se révélait manifestement un mauvais perdant.

— Heureux d'apprendre qu'on est du même côté des barricades, chuchota Tom à l'oreille de Julie.

— Vous savez ce que je pense de Julie? s'exclama le docteur. Derrière sa réserve, se cache un être de passion, hors de l'ordinaire.

Intimidée, la principale intéressée tira aussitôt le bras de son ami:

— Soyez indulgent maintenant, suggéra-t-elle. Oubliez-moi un peu.

Un clin d'œil complice, et le patriarche reprit la bride de la conversation. Cette fois, il la dirigea sur Brigitte qui n'avait d'yeux que pour son vis-à-vis, Tom Stevens:

— Et vous, Brigitte, dont je sens un intérêt marqué pour le cinéma, parlez-nous du dernier film que vous avez vu.

L'allusion n'avait échappé à aucun des convives, mais on pardonnait tout à Alain. Car l'ironie chez lui n'était pas méchante, mais empreinte de générosité. Elle naissait d'un besoin de rassembler les gens et du refus de les juger. Pourtant Brigitte parut mal à l'aise devant l'allusion et jeta un regard inquiet vers François qui piqua sa fourchette dans une tranche d'orange et lâcha ce commentaire:

— Brigitte n'aime pas le cinéma. Elle aime les histoires d'amour qu'on y raconte.

— N'en sommes-nous pas tous là, quoiqu'on s'en défende? rétorqua Alain sans fausse pudeur.

Et la conversation repartit autour de ce nouveau centre d'intérêt que délimitait Alain avec un zèle infatigable: les plus belles histoires d'amour que chacun avait vues au cinéma. Ce sujet accordait un répit à Julie exténuée par ses efforts de sociabilité.

Les voix se pressaient autour d'elle. Elle y discernait bien un tel ou une telle, mais ne prêtait pas attention à ce qu'ils disaient. Elle se concentrait sur sa tasse de camomille et songeait à ce que l'employé à la réception avait répondu à son interrogation angoissée, juste avant qu'elle se dirige vers la salle à manger. Les lignes téléphoniques ne seraient pas rétablies avant vingt-quatre heures. Une éternité, quoi!

La plus belle histoire d'amour qu'elle avait vue, c'était dans la vie, et elle en était l'héroïne. Sur la piste de danse, Bernard lui avait serré la taille en tremblant, mais sans pouvoir dire un mot. Il en avait été ainsi durant toute la soirée où il l'avait invitée systématiquement pour les slows. Ni lui ni elle n'avaient voulu briser l'entente parfaite des corps, le silence ému des âmes. Parler ne risquait-il pas d'entacher ce moment de pure magie où deux inconnus se rencontrent pour la première fois et pourtant se reconnaissent? Mais la soirée avait bien dû se terminer, et ils étaient repartis chacun de leur côté, sans un dernier regard, sans un mot. Pourtant, en rentrant chez elle ce soir-là, Julie affichait un sourire béat. N'avait-elle pas rencontré l'homme de sa vie?...

Bang! La tasse vide était tombée de ses mains et Julie la replaça en vitesse dans son assiette. Personne ne semblait avoir remarqué l'incident. Mais le vacarme rappela Julie à la réalité des autres convives et de sa grande fatigue. Elle lorgna la sortie en se mordillant les lèvres.

— Si je vous donne un coup de main, vous tiendrez le coup jusqu'à la porte?

La voix de Tom retentit à son oreille bien que l'acteur eût parlé tout bas. Elle se tourna vers lui, envahie par un brusque sentiment de culpabilité, et chercha ses mots:

— Comment vous expliquer mon état...

Il s'empressa de lui couper la parole:

— Vous n'avez pas à m'expliquer.

— Il me semble que je vous dois bien...

— Vous ne me devez rien du tout!

Cette fois, le ton ne souffrait aucune discussion.

Décontenancée, Julie se tut. Il y eut un long silence. Le visage de Tom était sympathique, mais son regard restait dissimulé. Toute sa personne semblait secrète, farouchement repliée sur elle-même. Julie reconnut d'emblée cette forteresse intérieure où Tom se retranchait.

— Ne vous inquiétez pas, dit-elle. Je n'ai pas l'intention de m'imposer à vous d'aucune manière, encore moins par celle des confidences. J'ai autant besoin d'anonymat que vous.

Ces propos surprirent Tom qui se passa une main dans les cheveux, l'air embarrassé, puis réajusta ses verres fumés.

— Excusez-moi, c'est une déformation du métier.

— Ne vous excusez pas, je comprends trop bien.

Et elle retourna à sa méditation.

Oui, comment ne pas comprendre cet homme? Il y avait tant de gens qui voulaient entrer de force dans son esprit à elle; lui dire comment se comporter dans telle ou telle circonstance de la vie; surtout, l'obliger à parler, parler, parler quand elle réussissait à peine à retenir un cri au bord de ses lèvres. Il y en avait même pour lui conseiller de partir, d'accepter l'inéluctable et d'abandonner la lutte! Abandonner Bernard? Jamais! Dût-elle traverser l'enfer, elle ne trahirait jamais Bernard!

Elle en était là de ses réflexions quand elle entendit la voix de Tom.

— Déjeuner: prise 2. Si je vous donne un coup de main, vous tiendrez le coup jusqu'à la porte?

Tom s'était raclé la gorge pour parler et jouait nerveusement avec sa serviette de table. Pour toute réponse, elle lui adressa un regard plein d'indulgence.

— Voyez-vous, c'est le drame de ma vie, fit-il, migrave, mi-badin. Je ne réussis jamais mes «premières prises».

L'expression fit sourire Julie. Et après un silence, elle poursuivit sa pensée:

— Comment expliquer mon état... Ah, je sais! Dans le jargon de votre métier, ça porterait un nom: le trac. C'est une sorte de trac fou qui s'empare de moi par moments, au point de figer sur place ou de tourner de l'œil.

— Mais le trac apparaît habituellement avant d'entrer en scène, avant la représentation. Pour vous, il semble survenir après, au moment de sortir.

— Vous trouvez?

Chez Julie, une naïveté d'enfant côtoyait une grande maturité d'esprit. Si la dernière qualité s'illustrait dans sa tolérance envers autrui, la première qualité lui valait bien des tours à ses dépens. Après quelques secondes d'étonnement, Julie se ressaisit:

— Vous m'avez eue, Tom! Mais le pire, c'est qu'il y a peut-être un fond de vérité dans cette petite moquerie.

— Je vous taquine, je ne me moque pas de vous, fit-il, sérieux. Je ne le voudrais jamais.

— Pourquoi?

— Parce que vous avez une qualité que je vous envie: vous croyez en la parole des gens.

— Et pourquoi ne devrais-je pas les croire?

Tom resta muet quelques secondes. Le bas de son visage avait retrouvé sa dureté. Il déclara:

— Parce que la plupart mentent.

Une voix interrompit les conversations autour de la table:

— Qui veut du café ici?

Une cafetière dans chaque main, une serveuse faisait le tour des tables et remplissait les tasses qu'on lui tendait.

Brigitte profita de l'accalmie pour demander à Tom:

— Combien de tasses de café buvez-vous par jour?

— Aucune idée! Il faudrait demander à ma troisième femme qui tenait les comptes pour moi.

Les hommes ricanèrent, mais aucune des femmes. Gérard en profita pour pontifier à son aise:

— Vous manquez d'humour, mesdames! Comme toujours, d'ailleurs.

— Je ne trouve pas, rétorqua Alain. Ces dames, comme vous dites, sont trop raffinées. La vulgarité leur échappe, à elles.

Froissé, le commandant ne put trouver mieux que de se plaindre de la lenteur du service.

— Vous avez raison, docteur, répondit Tom humblement, à la surprise générale. Je me défends bien grossièrement. Mais est-ce que je peux savoir pourquoi vous, vous riez?

— Pour la même raison que vous, mon cher ami. Pour ne pas pleurer, tout simplement pour ne pas pleurer.

Un silence fit écho à la voix éteinte d'Alain Dufour. Comme si la troupe avait arrêté de marcher et attendait, au garde-à-vous, que le meneur d'hommes se relève et leur fasse signe de continuer. Mais le meneur semblait captif de son mauvais pas.

— Parce qu'un médecin a toutes les raisons du monde pour être déprimé. Il sait que de la jeunesse, du premier amour... on ne guérit pas. Il soigne des maladies, mais pas la vieillesse ni les cœurs brisés.

Julie glissa un bras sous la table et pressa la main d'Alain dans la sienne. Le médecin frémit comme sous l'effet d'un choc électrique et sortit aussitôt de son humeur chagrine:

— Mais qu'est-ce que vous avez à me regarder comme ça? Allez, Brigitte, vous m'avez abandonné au milieu de votre histoire d'amour, et voyez dans quel état vous m'avez mis! J'en perds mon latin!

L'atmosphère se détendit d'un coup. Toute la troupe se remettait en branle, dans un grouillement de corps et un bourdonnement de voix inimitables. Brigitte reprenait son récit où elle l'avait quitté. Alain porta la main de Julie à ses lèvres, avant de se jeter à son tour dans la mêlée.

En aparté, Tom glissa à Julie:

— Quand je déconne comme ça, c'est qu'il est temps que je me remette au travail.

Mais Julie restait pensive et répondit comme à elle-même:

— Le bruit devient insupportable ici. Excusez-moi, Tom, je dois partir.

Julie se pencha et prit son sac à main sous son siège. Quand elle se redressa, Tom posa l'avant-bras sur son dossier.

— J'ai autant besoin de silence que vous.

Quelque chose venait de passer dans la voix de Tom, quelque chose de grave, pressant, inusité. Instinctivement, Julie tendit l'oreille.

D'abord il s'emporta en cognant du poing sur la table:

— La chambre qu'on m'a donnée est minuscule, j'y étouffe, et je dois apprendre un rôle d'ici trois semaines!

Julie aurait voulu dire qu'elle, elle aimait bien sa chambre minuscule à l'hôtel parce qu'on n'est jamais trop à l'étroit avec soi-même, mais elle se tut. Elle souffrait trop pour ne pas s'inquiéter des blessures qu'elle pouvait elle-même infliger aux gens autour d'elle. La souffrance lui avait donné au moins ce savoir-là: le pouvoir de rejet que détiennent certains mots.

Tom semblait indécis. Son regard voyageait du sac à main de Julie aux serveuses qui s'affairaient autour des tables, de l'embouteillage humain devant le buffet au visage sans fard de son interlocutrice. Son emportement se transformait en impatience.

— Si je vous accompagnais jusqu'à la porte, est-ce que vous m'accompagneriez jusqu'à l'une des salles de repos de l'hôtel? Si j'y vais seul, je ne pourrai pas y rester seul longtemps. À deux, personne n'osera me... nous déranger, vous comme moi. Je pourrais apprendre mon texte, vous pourriez... faire ce que vous voulez.

Julie aurait de loin préféré retourner dans sa chambre et s'y enfermer jusqu'au soir. Après tout, elle avait fait son effort de guerre. Mais elle hésita. La prescription de son ami Alain lui revint à l'esprit. Surtout, elle se sentait en dette envers Tom qui l'avait aidée à bord de l'avion. Oui, il y avait bien eu une sorte d'appel dans la voix de son bon Samaritain qui, maintenant, ne semblait plus tenir en place et paraissait s'intéresser à tout autre chose qu'à sa réponse. Sans être impérative, sa demande n'en était pas moins insistante. Elle contrastait avec la distance que cette même voix avait réclamée poliment un peu plus tôt.

— Avez-vous déjà repéré un endroit sympathique, à l'écart, où je puisse lire en paix? s'informa-t-elle.

Tom tourna vers Julie un visage qu'il aurait voulu indifférent. Mais le léger tremblement à la commissure de ses lèvres le trahissait.

— Tout à fait. Un coin, avec deux fauteuils profonds qu'on peut orienter vers l'angle fermé du mur et des fenêtres. On ne nous verra pas le sommet du crâne.

— Je suis prête.

Ils se levèrent et saluèrent les convives.

— On vous revoit plus tard, vous deux? s'enquit Brigitte qui cachait mal le désappointement que lui causait le départ de Tom. Cette table nous est réservée jusqu'à...

— Jusqu'à notre remise en libération, continua Alain qui donnait la bise à Julie et serrait la main de Tom. On est des prisonniers du temps, ici, n'oubliez pas. Il faut faire en sorte de le gagner du mieux qu'on peut, non pas de le perdre! Il faut mériter le temps qui nous est échu.

— Oui, professeur, répondit Julie. À quand le prochain cours?

— Ici même, à midi!

Ces leçons de vie, d'espoir et de dignité, Julie ne pouvait les accepter que d'Alain Dufour. Car il ne faisait pas la morale aux gens à travers ses leçons. Il élevait plutôt un hymne à l'amour, à la beauté des choses, au temps présent. Et à travers son rappel incessant de l'instant qui passe, qui fuit, Julie se sentait proche de lui, effectivement parente.

CHAPITRE 3

— Ça vous convient, Julie?

— Parfaitement.

Julie et Tom revenaient de leurs chambres respectives, l'une avec un livre à la main, l'autre avec les pages d'un scénario sous le bras, et ils s'assoyaient à l'endroit choisi par Tom.

Le lieu s'avérait réellement discret, une dizaine de personnes tout au plus s'y dispersaient ici et là. Il est vrai que de toutes les salles libres, elle était la plus petite. Elle attirait donc particulièrement les résidants de l'hôtel, hommes d'affaires, couples et groupes restreints, que le débarquement surprise des passagers du Boeing avait fait fuir vers des oasis de paix. Et puis, à neuf heures du matin, les nouveaux venus étiraient leur déjeuner dans la salle à manger dans le but évident de faire plus ample connaissance et de se serrer les coudes dans l'adversité.

Car les nouvelles n'étaient pas bonnes. La côte est de l'Amérique, surprise par la violence de la tempête, se trouvait entièrement paralysée. Tous ses aéroports étaient fermés et on ne savait pas quand celui de Dorval serait rouvert à la circulation aérienne. Encore une fois, par l'ampleur exceptionnelle de la tempête, la nature avait échappé au contrôle des humains.

Aussitôt installés, et suivant les termes de leur accord, Tom et Julie rentrèrent chacun dans leur cocon. L'acteur feuilletait son scénario, la libraire, son bouquin. Tout appelait à la détente: les fauteuils moelleux, la couleur pêche des murs, la tonalité feutrée des voix, la neige qui recommençait à poudrer sur le désert blanc s'étalant de l'autre côté des fenêtres, et puis le silence paisible qui tissait sa toile entre les deux complices.

Sous les yeux de Julie, les lignes de son bouquin avaient quelque chose de rassurant; c'était comme retrouver dans un album de photos les traits des êtres aimés. Elle adorait lire depuis qu'elle était enfant. Elle avait trouvé dans la lecture la façon la plus simple d'exorciser ses peurs, de nourrir son imaginaire et, en contrepartie, de mieux apprécier les simples joies de la vie quotidienne...

Elle se rappelait encore sa mère chantonnant dans la cuisine pendant qu'elle préparait les repas, puis venant se poster à l'entrée du salon pour annoncer, d'un coup d'œil à sa montre:

— Cinq heures trente, ma chérie.

Julie bondissait du fauteuil de son père, abandonnait son bouquin sur l'accoudoir, décrochait chandail ou manteau de la patère, et dévalait les escaliers intérieurs du triplex.

— Pas si vite, chérie, tu vas tomber! criait sa mère juste avant que la porte d'entrée au rez-de-chaussée claque derrière l'enfant.

Julie s'élançait sur le trottoir, cheveux au vent, sourire aux lèvres, en zigzaguant entre les passants qui déambulaient sur la rue Saint-Hubert. Et à cinq heures trente-deux, elle s'enfournait dans les bras de son père qui débouchait de la rue Roy.

— Papa, mon petit papa!

— Attention aux gâteaux, ma belle Charlotte! lançait son père en balançant au bout de ses doigts la boîte blanche de la pâtisserie de madame Bolduc.

Car chaque soir, en rentrant de son travail à la Bibliothèque municipale de Montréal, Florian arrêtait chez madame Bolduc acheter trois pâtisseries fraîches pour le dessert. La charlotte russe étant la préférée de sa fille unique, il avait fini par gratifier Julie de ce surnom.

Le père et la fille faisaient le reste du trajet main dans la main. À cinq heures trente-six, ils poussaient la porte de l'appartement. Julienne enlevait son tablier et venait accueillir son mari d'un baiser pudique sur les lèvres. Et au «Surprise!» que poussait Florian en sortant la boîte blanche de derrière lui, Julienne lâchait chaque soir le même petit «Oh!» de bonheur et d'excitation emmêlés. C'était leur rituel amoureux qu'ils préservaient intact depuis des lustres.

Puis Julienne repartait à la cuisine avec sa boîte blanche, Julie prenait le paletot ou le veston de son père pour l'accrocher à la patère, et Florian réintégrait son fauteuil bleu royal. Il jetait un coup d'œil au livre de sa fille, emprunté à la bibliothèque de l'école, et acquiesçait de la tête:

— C'est bien ce livre, ma belle Charlotte. Mais quand j'ouvrirai ma librairie, tu verras, tu auras encore plus de livres à ta portée que tu ne peux l'imaginer.

Julie s'assoyait sur le tapis aux pieds de son père, couchait la tête sur ses genoux et l'écoutait décrire ces rangées de livres qui monteraient jusqu'au plafond, ces milliers de livres qu'elle apprendrait à classer, à explorer, à aimer. C'était ça, le paradis: la voix de son père qui rêvait de sa librairie en lui caressant les cheveux; la voix de sa mère qui chantonnait dans la cuisine en mettant la touche finale à un plat; la tranquillité des cœurs qui ont trouvé leurs âmes sœurs; la beauté de la parole qui dit la vérité des sentiments; la plénitude de l'instant quand on a trouvé sa voie et entrevu toute la vie devant soi pour la suivre...

— Ah!

Le cri avait résonné si fort à l'oreille de Julie qu'elle grimaçait de peur, le torse penché sur ses genoux.

— Vous allez bien? demanda Tom calmement, en baissant le cahier qu'il tenait à la hauteur des yeux.

Julie se redressa, toute désorientée, et glissa machinalement une main sur son visage.

— C'est... moi qui ai hurlé comme ça?

Tom fit signe que oui de la tête. Elle aperçut alors son bouquin par terre et le ramassa promptement.

— Je suis désolée de... fit-elle sans pouvoir terminer sa phrase. Je... je vous mets dans des situations embarrassantes, n'est-ce pas?

Tom fit signe que non de la tête.

— Merci, ajouta-t-elle.

Elle jeta un coup d'œil sur l'horloge murale, à l'entrée de la salle: onze heures trente, et elle vérifia son livre: deux pages lues. Elle s'était donc endormie presque aussitôt assise, et ses parents étaient venus lui rendre visite en rêve.

— Qu'est-ce qui se passe ici?

Julie sursauta à la question formulée sur un ton agressif. Un homme à l'air bourru, épinglé dans son complet-veston, fit le tour de son fauteuil et l'examina avec curiosité comme si elle était un animal au zoo.

— On vient ici pour la tranquillité! poursuivit-il. Et il y a une dame qui a renversé son café sur elle, et moi...

— Moi, c'est votre voix qui me rend nerveux.

La voix de Tom avait claqué comme un coup de fouet. Il enleva lentement ses verres fumés qu'il déposa sur la table à café et fixa le visiteur de son regard glacial.

— Elle me fait un tel effet que...

Il se mit à secouer son cahier avant de le jeter par terre, visiblement en colère. Les deux hommes se jaugèrent pendant un court instant, puis l'intrus leva les épaules et s'en fut.

Tom ramassa son scénario et se tourna vers Julie enfoncée dans son fauteuil, honteuse de la situation qu'elle avait provoquée. Il lui adressa un sourire franc, triomphant, le premier vrai sourire qu'elle lui ait vu depuis leur rencontre.

— *Actually, I've never done that!* Je n'aurais jamais osé!

Et ils étouffèrent leurs rires derrière leurs mains comme des enfants après un mauvais coup.

— Je ne voudrais quand même pas vous attirer des ennuis, commenta Julie, quelques instants plus tard.

— Parce que vous allez pousser régulièrement de ces hurlements en ma présence? répliqua Tom redevenu sérieux.

— Non, non, se défendit Julie, mais si ça devait... non, bien sûr, je ne veux pas... mais si ça se reproduisait...

Elle se tortillait dans son fauteuil, remplie de confusion. Tom lui fit un clin d'œil.

— Ah! soupira-t-elle. Vous me faites marcher à tout coup avec votre air pince-sans-rire!

Et il en remit pour le plaisir:

— Je conviens que vous faites grand tort... à mon ego! Me dormir au nez comme ça, même ronfler.

— Non! s'exclama Julie qui ne savait plus que dire ni penser, j'ai vraiment ronflé?

— Je vous accorde que c'est très efficace. Comme garde du corps, il n'y a rien de mieux! Personne n'a osé m'approcher de la matinée grâce à ce ronflement.

Soudain, Tom se raidit dans son fauteuil en regardant par-dessus le dossier de Julie:

— *He's coming back!* Avec deux autres!

Julie se dressa comme une barre, colla son livre contre son visage et ne bougea plus. Après quelques secondes de silence, elle baissa le livre et risqua un œil vers Tom... qui se tenait les côtes! Julie s'esclaffa. Malgré les pas qui sortaient de la salle, scandés de soupirs réprobateurs, ils rirent aux larmes.

— Je ne croyais pas que je vous verrais jamais rire, dit Tom après qu'ils se furent calmés.

— Et moi, je ne croyais pas que vous étiez si doué pour la comédie.

— Je ne le suis pas du tout, je voulais simplement vous faire rire, vous.

— Vous avez réussi. Je n'avais pas ri comme ça depuis longtemps.

— Moi non plus.

Et d'un ton grave, il ajouta:

— Parce que le rire, c'est ce que j'ai perdu en premier, avant ces quelques cheveux aux tempes, ma première femme, mon pucelage.

L'air désabusé, il se récria aussitôt:

— Bah, je délire, ne faites pas attention à ce que je dis!

42

— Pourquoi? Pour rire, il faut rester des enfants. C'est ça que vous avez perdu trop vite, l'enfance?

Tom se mit à triturer la liasse de feuilles posées sur ses genoux. C'était la première fois que Julie le voyait ainsi, gauche, troublé, terriblement humain. Et tout à coup, la lumière!

— Mais je vous reconnais, Tom!

— Oui?

Il avait levé le front et fixait Julie avec ses yeux verts, intenses, qui la clouèrent sur place. Tout le prestige de son statut de star, toute sa prestance fière et hautaine s'évanouirent dans ce cri du cœur et ce regard d'enfant.

— C'est que vous n'avez plus vos lunettes et ce regard mélancolique...

— J'ai dû perdre le rire en sortant du berceau, l'interrompit-il d'une voix dure. Une mère qui divorce cinq fois le fait perdre très vite à son fils. Excusez-moi, je dois travailler maintenant.

Tom se réfugia dans la lecture de son scénario. Les pages tremblaient imperceptiblement dans ses mains.

*

— Bonjour, vous deux! On vous dérange?

La voix était coquine, flatteuse. Un petit glousse-ment timide suivit.

— Mais non, Brigitte, venez! lança Julie de bon cœur. Et vous, Shirley, comment ça va depuis ce matin?

Shirley répondit après un second gloussement:

— Ça va.

Elle s'assit sur le bord de la fenêtre, en retrait, et étira ses jambes. Quant à Brigitte, elle alla se poster derrière la table à café placée devant les fauteuils de Julie et de Tom, le corps bien droit.

— Si on se tutoyait? suggéra-t-elle à Julie.

— Alors tu vas devoir me raconter comment tu en es venue à être hôtesse de l'air?

La réponse de Julie fit ricaner les filles qui échangèrent un regard espiègle.

— Mais je ne sais pas si ça va intéresser Tom, ajouta Brigitte en tortillant entre ses doigts une mèche de ses longs cheveux blonds.

Tom n'avait pas interrompu son travail à l'arrivée des jeunes femmes. Il le fit à ce moment-là, en déposant son scénario sur la table à café. Il remit ses verres fumés. Ses mâchoires se crispèrent en s'adressant à Brigitte:

— Vous allez nous faire plaisir et nous raconter votre histoire.

Le ton inexpressif et le vouvoiement de Tom ne semblèrent pas indisposer Brigitte qui, toute à son admiration pour son idole, se satisfaisait amplement des miettes d'attention qu'il lui donnait. Shirley par contre, qui n'avait pas les mêmes raisons que son amie pour se méprendre sur l'attitude de l'acteur, risqua sur le bout des lèvres:

— Tu sais, Brigitte, qu'on doit nous attendre à la salle à manger.

Mais l'admiratrice ne voulait pas entendre raison:

— Va le rejoindre, ton beau Simon, si tu t'ennuies, moi je reste.

La mine boudeuse, Shirley haussa les épaules, mais ne bougea pas. Quant à Brigitte, elle entama son récit avec enthousiasme, en tutoyant Julie et en vouvoyant Tom le plus simplement du monde.

La hardiesse de l'une et le manque d'assurance de l'autre attendrirent Julie qui observait les jeunes femmes à tour de rôle. Depuis quelque temps déjà, elle avait découvert le sens de l'expression: «la beauté de la jeunesse». Elle-même pourtant ne se rappelait pas avoir trouvé les gens de sa génération particulièrement beaux, quand elle avait vingt ans. Si peu de gens alors trouvaient grâce à ses yeux en matière d'«esthétique». Seul Bernard répondait aux canons de la perfection, mais n'était-ce pas essentiellement parce qu'elle l'aimait? Avec lui, elle avait découvert que la beauté n'existait pas en soi, mais était créée par le regard.

C'est de ce regard qu'elle habillait les jeunes femmes de grâce. Brigitte d'abord, avec son corps souple et svelte, ses longues jambes fuselées que sa minijupe et son chandail noir moulant mettaient en évidence. Ensuite Shirley avec sa silhouette ronde et pleine, aux formes généreuses, qui faisait presque éclater les coutures de son jeans. Son visage ouvert et laiteux, constellé de taches de rousseur, inspirait une irrésistible joie de vivre. Il n'offrait pas la même délicatesse de traits que l'étroit visage de Brigitte, au teint doré. Et pourtant l'une et l'autre émouvaient Julie.

Il y avait une spontanéité et une transparence des sentiments chez elles que seule la jeunesse permettait. Une gaucherie aussi dans l'expression des émotions que seule l'inexpérience expliquait. Elles n'avaient pas encore connu ces grandes déceptions que la perte d'êtres chers provoque. Elles semblaient toutes fraîches parce qu'elles n'avaient pas encore souffert une seule fois à en perdre la raison.

La «beauté de la jeunesse», se répétait Julie en les contemplant, c'est l'art de porter son visage ou son corps sans cicatrice, sans trace de ces blessures mortelles infligées au cœur.

— Alors tu viens avec nous, Julie? Hou! Hou! Julie! Mais elle est dans la lune ou quoi?

— Pardon, Brigitte, qu'est-ce que tu disais?

Égarée dans ses pensées, Julie avait perdu un bon bout du monologue de Brigitte sur sa carrière comme hôtesse de l'air. Et elle faisait un effort pour rattraper le fil de la conversation. Elle aperçut la beauté blonde, au minois rayonnant, pendue au bras de Tom dont le visage cependant était resté fermé.

— Nous allons dîner, dit-il. Vous devez avoir faim.

— Ah non, pas du tout, allez-y sans moi, répondit Julie. Deux repas par jour, ça me suffit. Je mange très peu, en fait.

Suivit un long silence que rompit Tom:

— Alors nous dirons à Alain que vous dormez.

— Oui! C'est ça! s'écria Brigitte en pouffant de rire et en s'accrochant cette fois à deux mains au bras de son cavalier. Quelle bonne idée! Et tu auras la paix, Julie!

En signe de reconnaissance, celle-ci cligna des yeux en regardant Tom.

— Venez, nous allons être en retard!

Brigitte tirait sur le bras de l'acteur, avec une moue d'impatience tout enfantine. Tom ne bronchait pas et continuait de poser sur Julie un regard indéchiffrable derrière ses verres. Il finit par demander, l'air très posé:

— Pour les cris... crises de toux, ça va aller?

— Oui, oui, bégaya Julie que la taquinerie tacite de son interlocuteur avait surprise, pour ça, euh... je vais vous attendre.

Tom se passa une main dans les cheveux, puis réajusta ses verres fumés. Il se tourna enfin vers Brigitte qui sautillait sur place, une main sur l'estomac, et déclara:

— D'accord, on y va. Quand l'estomac a parlé, il faut se soumettre.

Shirley pouffa de rire. Brigitte jeta un regard outré à sa copine en arrêtant de sautiller.

— Vous nous accompagnez, Shirley? ajouta Tom.

Cette dernière hésita, puis s'adressa à Julie:

— J'aimerais rester un peu, si ça ne vous dérange pas.

— Ça me ferait plaisir, mais à une condition: que tu me tutoies.

Shirley acquiesça, et informa Tom et Brigitte qu'elle les rejoindrait d'ici une demi-heure.

Après leur départ, Shirley quitta le bord de la fenêtre et s'installa à la place qu'avait occupée Tom. Elle se mit à rire nerveusement.

— Et qu'est-ce que ce joli rire cache? demanda Julie à sa voisine pour briser la glace.

Shirley se détendit, posa un coude sur l'accoudoir du fauteuil et pianota de ses doigts sur ses lèvres en regardant Julie:

— Vous... tu ne trouves pas Brigitte un peu, comment dire... collante?

— Qu'est-ce que tu veux dire par collante?

— Eh bien, un peu flirt avec les gars.

— Veux-tu dire flirt avec Simon?

— Pas de danger avec lui! s'écria Shirley avec un tel aplomb qu'elle rougit aussitôt de son aveu involontaire. Enfin... lui et moi, c'est plutôt sérieux que je dirais.

— C'est ce que j'ai cru sentir, commenta Julie.

— Ah oui? Ça paraît tant que ça? s'inquiéta Shirley.

— Suffisamment en tout cas pour que ceux qui aiment les amoureux le sentent.

La réponse plut à Shirley qui soupira d'aise. Puis ses yeux se posèrent sur le jonc au doigt de Julie.

— T'es mariée?

— Depuis quatorze ans.

— Quatorze ans! s'exclama Shirley, d'un ton enchanté et ahuri tout à la fois.

Après quelques secondes de réflexion, elle demanda:

— Ton mari, tu le connaissais depuis longtemps avant de sortir avec lui?

— La première fois que je l'ai rencontré, il y a eu une sorte de déclic entre nous, mais on en est restés là. La seconde fois, c'était presque deux ans plus tard, on a commencé à sortir ensemble... Pourquoi ces questions?

— Ah, juste pour savoir, fit Shirley, évasive.

Mais en se penchant pour nouer ses lacets, elle ajouta:

— Tu crois au déclic à retardement?

— À retardement?

Elle se redressa comme un ressort et s'empressa d'expliquer:

— Oui, tu vois quelqu'un des milliers de fois, tu vis avec lui sans le remarquer parce que c'est un copain, un collègue de travail. Il fait partie du paysage comme le soleil, la nuit, la bouffe, le boulot. Puis un jour, un accident arrive. Et d'un coup, tu te rends compte qu'il n'est pas à côté de toi. Et tu n'as qu'une idée en tête: le rejoindre, l'apercevoir une dernière fois, même de loin, même juste une seconde. Et quand il apparaît, t'es... t'es complètement abasourdie, démolie, défaite! T'éclates en mille morceaux!

Shirley ouvrit les bras et se laissa tomber bruyamment dans le fauteuil avant de conclure:

— T'es en amour par-dessus la tête!

Julie avait peine à retenir un fou rire et quand elle voulut répondre, elle ne jugea plus utile de le faire. La jeune femme rêvassait avec un tel bonheur et un tel abandon que Julie se contenta de feuilleter son roman en attendant qu'elle revienne sur terre.

— Tu sais que Brigitte a séduit le commandant? reprit Shirley quelques minutes plus tard. Moi, je ne sais pas ce qu'elle lui trouve. Paraît-il qu'il est déchiré entre elle et sa femme. Déchiré, lui? En tout cas, c'est ce qu'elle pense... François aussi, elle l'a séduit, mais avant. Et elle l'a quitté pour le commandant parce qu'il devenait trop sérieux à son goût... Ça ne te choque pas que Brigitte se jette comme ça au cou des hommes?

— Pas vraiment... À vingt ans, c'est un peu normal de vouloir plaire et séduire à tout prix. On veut être sûre de ses charmes parce qu'on a peur d'en être dépourvue.

— Mais Brigitte est belle!

— Tu es sûre qu'elle le sait?

— Aussi sûre que je sais ne pas l'être!

— Eh bien, tu as tort. Brigitte et toi, vous êtes aussi belles que différentes l'une de l'autre.

— Belle, moi? s'enquit une Shirley incrédule, l'index pointé vers sa poitrine.

— Brigitte a une beauté classique. Toi, tu as une beauté particulière, personnelle, qui n'appartient qu'à toi.

Il y eut un long silence durant lequel Shirley sembla tout à coup broyer du noir.

— J'ai une amie qui ne ressemble pas du tout à Brigitte, murmura-t-elle avec des trémolos dans la voix. Sa mère lui a toujours dit qu'elle n'était pas... belle, et que les filles qui se jetaient au cou des garçons étaient des... des putains.

— Hum! je pense que cette mère est jalouse de sa fille.

— Jalouse? répéta Shirley, interloquée.

— Oui, elle doit critiquer chez sa fille ce qu'elle lui envie le plus. Sa beauté, par exemple, ou sa capacité d'aimer un homme et de s'en faire aimer.

— C'est étrange ce que tu dis, parce que justement mon amie a rencontré un garçon qui l'aime et qui veut vivre avec elle. Mais elle sait que sa mère ne voudra pas. Mon amie m'a demandé conseil...

— Est-ce que ton amie aime ce garçon?

— Elle l'adore! affirma Shirley avec ardeur.

Mais elle se reprit aussitôt:

— Enfin... c'est ce qu'elle me laisse entendre.

— Quel âge a ton amie?

— Vingt et un ans ou vingt-deux... je n'en suis pas sûre.

— Eh bien, à cet âge-là, si ton amie aime ce garçon qui l'aime, je ne crois pas que sa mère ait le droit de lui interdire quoi que ce soit. Tu ne penses pas?

— C'est sûr. Sa mère n'a pas le droit de l'empêcher de suivre son cœur, mais tu vois... La mère de mon amie est très malade. Et mon amie a peur de rendre sa mère encore plus malade si... si elle va vivre avec son amou-reux contre sa volonté.

— Je vois... Mais ton amie va devoir vivre avec ses peurs, si elle veut vivre sa vie à elle, et non pas la vie de sa mère.

— Je sais! Je veux dire que c'est ce que je lui ai dit. Mais mon amie continue d'avoir très peur...

— Eh bien, laisse-la te demander conseil à nouveau et te confier ses craintes. Parce que c'est un grand pas qu'elle fait.

— Ah oui?

Julie hocha la tête avec conviction et ajouta:

— Si elle te pose des questions, c'est qu'elle a peut-être déjà trouvé la réponse au fond de son cœur, mais elle n'ose pas se l'avouer.

— C'est vrai ce que tu dis. Elle se doute bien, je crois, qu'en désobéissant à sa mère et en vivant avec son amoureux, elle devra accepter le fait d'être... d'être...

— Une femme libre?

— Oui, c'est ça! Tout simplement libre, une femme libre... Elle le sait... Elle le sent... Mais c'est très dur pour elle de se l'avouer.

CHAPITRE 4

Julie lisait quand elle entendit approcher des voix familières. Une main se posa sur son épaule. Elle leva le menton et aperçut une tête blanche au-dessus du haut dossier.

— Je savais que c'était vous, Alain. Personne n'a une main aussi apaisante.

— Je suis venu voir si vous suiviez bien ma prescription.

— Et qu'est-ce que le docteur en pense?

Alain fit le tour du fauteuil, tira une chaise et s'assit à côté de Julie en regardant d'un œil amusé le plateau de thé et de petits gâteaux sur la table à café. N'y restaient que des miettes.

— Que malgré les quelques licences que vous vous accordez, sauter un repas, par exemple, vous en avez bien saisi l'esprit.

Sur ce, arriva Tom qui se laissa tomber dans son fauteuil en soupirant. Et surgit derrière lui une Shirley au sourire éclatant.

— Est-ce que je peux t'apporter quelque chose d'autre, Julie? demanda-t-elle.

— Non, merci. Tu vois, j'ai fait honneur à tes gâteaux.

— Alors, je vais rapporter le plateau aux cuisines.

Quand elle se saisit du plateau, Julie allongea le bras et toucha le poignet de la jeune femme.

— Simon est un homme chanceux.

Le visage de Shirley s'illumina et elle s'en fut, d'un pas léger.

— Eh bien, Julie, dit Tom ironique, je crois que vous avez conquis un cœur.

— Correction, fit remarquer le docteur, deux cœurs.

Et ce disant, il enserra la main de Julie dans les siennes.

— J'aimerais beaucoup vous présenter à mon épouse, ajouta-t-il, l'air grave.

— Elle est avec vous, à l'hôtel?

Alain acquiesça de la tête.

— Alors, allons la retrouver tout de suite, répondit-elle, ça me ferait tellement plaisir!

— Non, non, tout de suite, c'est impossible! Je dois la prévenir. Mais plus tard, oui, en soirée peut-être.

Le regard d'Alain s'assombrit. Ses mains glissèrent sur ses genoux et il se cala dans sa chaise, en respirant profondément. Son âge brusquement semblait l'avoir rattrapé. Ses rides creuses, le léger tremblement de ses mains, la raucité de son souffle n'en étaient que plus manifestes.

— Je reste avec vous quelques minutes et puis j'y vais, murmura-t-il en fixant par la fenêtre le paysage en partie gommé par le brouillard.

Tom et Julie n'osèrent lui répondre de crainte de le tirer de sa rêverie. Ils se tournèrent l'un vers l'autre, vaguement intimidés par le silence forcé dans lequel cette rêverie les plongeait. Puis Julie dit à voix basse:

— Vous avez l'air heureux, le dîner s'est bien passé?

— J'ai l'air quoi? demanda Tom.

La mine étonnée de son interlocuteur confondit Julie qui bafouilla:

— Heureux... enfin j'ai cru... votre visage...

— Moi, heureux? répéta Tom en se penchant vers Julie dont la voix faiblissait.

— Je ne sais pas, j'ai seulement cru... je veux dire, votre visage... il a l'air plus détendu.

Tom appuya sa tête contre le dossier.

— Je ne suis pas malheureux, dit-il sur un ton de confidence. Mais fondamentalement, je ne suis pas ce qu'on pourrait appeler un homme heureux, satisfait peut-être, mais pas...

— Vous n'avez pas à vous livrer, l'interrompit Julie, tout à coup fort mal à l'aise.

— Et si j'en avais envie?

Il enleva ses verres d'un geste maladroit et se frotta les yeux en répétant:

— Et si c'était plus fort que soi, parfois, l'envie de se livrer?

Il ne remit pas ses lunettes. Et aux yeux verts qui la fixèrent avec intensité, Julie se déroba en baissant les paupières.

— Oui bien sûr, mais vous n'y êtes pas obligé. C'était une simple impression, comme ça, en vous voyant arriver. Votre visage avait un air particulier qui m'a fait penser que... que vous aviez passé un bon moment au dîner.

— Non, pas du tout, trancha-t-il. Tout ce monde pressé autour des tables, c'était insupportable. Et puis des Brigitte, j'en croise des centaines tous les jours. Toutes fort jolies, mais envahissantes et vides.

— Vous êtes trop sévère, répliqua-t-elle en levant les yeux sur lui. Brigitte se jette à corps perdu dans ses expériences, comme on l'a fait à son âge, dans d'autres circonstances... Elle n'est pas vide. Seulement, elle veut tellement plaire qu'elle en oublie de chercher un sens à sa vie, en dehors des autres.

Tom parut un moment décontenancé par le plaidoyer de Julie.

— Excusez-moi, dit-elle, je ne voulais pas...

— Non, vous avez raison, s'empressa-t-il de la rassurer. Je n'ai pas à la juger.

— Quand je regarde Brigitte et Shirley, ajouta-t-elle, je les trouve naïves et innocentes comme on l'est tous quand on est jeunes et qu'on croit encore au père Noël, au prince charmant ou au paradis sur terre. Et même si moi, j'ai perdu la foi, j'aime encore voir briller cette innocence-là dans les yeux des autres.

Les joues rosies, Julie prit son bouquin posé sur la table et l'ouvrit au hasard. Après un moment, Tom demanda:

— D'où vous vient cette compréhension à l'égard des autres?

Julie vit les mots danser dans la page. Après une hésitation, elle répondit:

— De la souffrance, Tom, de la peur et de la souffrance.

La voix était gênée, tremblante, étouffée. Julie ne quitta pas des yeux son livre. Et la question qu'elle appréhendait glissa dans un souffle à son oreille:

— Je suis curieux. Qu'est-ce qui a bien pu vous faire penser que j'étais heureux tantôt? Qu'est-ce que j'ai l'air d'habitude?

Le cœur de Julie se serra dans sa poitrine. Elle jeta un coup d'œil vers Alain dans l'espoir qu'il mette fin à leur entretien à voix feutrées, mais les yeux de ce dernier se perdaient encore dans le paysage hivernal. Résignée, elle tourna la tête vers Tom et lui dit:

— Votre visage est dur d'habitude, complètement fermé aux autres. Tandis qu'à votre arrivée, il y a quelques minutes, il m'a semblé s'ouvrir. Comme... comme maintenant.

Une émotion parut traverser l'homme qui se pencha pour prendre son scénario sur la table à café.

— J'étais effectivement soulagé à l'idée de retrouver mon fauteuil, le paysage, mon travail et peut-être, surtout... le silence... la liberté d'être moi... votre compréhension...

Julie ne l'écoutait plus. Une grande nervosité s'empara d'elle et elle se mit à jouer avec son alliance en fronçant les sourcils. Tom le remarqua.

— Qui est Bernard?

Julie dévisagea Tom.

— Vous connaissez le nom de mon mari?

— Ah, votre mari... Durant vos moments d'absence, quand je vous ai conduite de l'avion à l'hôtel, vous répétiez son nom.

— Vraiment? fit-elle d'un ton anxieux. C'est que j'ai hâte de le retrouver.

Sa voix se brisa au dernier mot.

— Mais pourquoi ces chuchotements? s'écria brusquement Alain qui sortait de sa rêverie. Je ne suis pas encore mort à ce que je sache!

Il regarda sa montre et s'exclama en bondissant de sa chaise:

— Mes enfants, je vous quitte. Le devoir m'appelle!

— Attendez, je vous accompagne jusqu'à la sortie.

À la proposition de Julie, Alain perdit tout son élan.

— Vous feriez ça pour moi? demanda-t-il.

— Pour vous, j'irai même jusqu'à la salle à manger prendre mon repas du soir, ajouta-t-elle en s'efforçant d'être enjouée.

Ils s'éloignèrent à pas lents. Elle lui serrait le bras affectueusement, comme elle l'avait fait tant de fois à son père quand elle le reconduisait jusqu'à la porte du rez-de-chaussée. Elle n'allait pas encore à l'école et elle aurait tant voulu partir avec lui vers les milliers de livres qui attendaient dans des grandes pièces que quelqu'un vînt les demander par leur nom et les aimer. Elle, se disait-elle, elle les aimerait tous, sans exception.

— J'ai hâte de faire la connaissance de votre femme, dit Julie quand ils atteignirent la sortie. Parce que je crois qu'elle me ressemble un peu, n'est-ce pas? Elle aime transformer son lieu d'habitation en lieu de retraite.

Alain ne répondit pas, mais continua de caresser la main de Julie posée sur son bras.

— Qu'est-ce qu'il y a, Alain? Vous avez l'air soucieux, et ce n'est pas dans vos habitudes.

Il hocha la tête, et ses épaules s'affaissèrent.

— Alain, ça ne va pas, je le sens. Assoyez-vous, je vous en prie.

Julie avait passé un bras autour de la taille d'Alain et le tirait vers le canapé situé à côté de la sortie. Il s'effondra sur les coussins et couvrit son front de ses mains.

— Vous viendrez la voir, n'est-ce pas? implora-t-il, vous viendrez vraiment la voir?

— Alain, j'aurai toujours tout mon temps pour vous et votre femme.

— Je ne me suis pas trompée sur vous. Elle aussi vous aimera beaucoup.

Alain avait parlé avec tendresse, mais gardait les doigts crispés sur son visage.

— Vous me cachez quelque chose, dit-elle.

— Non, c'est juste que le médecin est épuisé.

— Est-ce que vous savez que vous pouvez compter sur moi entièrement?

À cette parole, il baissa les mains qu'il posa sur celles de Julie, et la regarda avec une expression indéfinissable. Après un long silence, il se résolut à lui avouer son malaise:

— Ma femme et moi n'avons jamais accepté que les épreuves de la vie aient le dessus sur nous. Nous avons élevé nos fils et notre fille, Dieu ait son âme, avec ces principes d'endurance et de courage. Mais un principe est une chose immuable parce que inerte, alors que la vie est un organisme précaire et changeant parce qu'en lutte constante pour son équilibre. Aussi héroïque soit-il, un principe ne peut nous immuniser totalement contre les bouleversements de l'âme...

Il fit une pause, sembla douter de ses efforts pour résumer sa pensée, puis laissa tomber:

— En fait, il est devenu très lourd pour moi de soigner les gens parce que je me rends compte, avec l'âge et l'expérience, qu'on ne peut pas vraiment différencier les maladies du corps de celles de la psyché.

Tout en parlant, Alain avait repris des couleurs. Sa voix s'était allégée. Il finit par s'adosser au coussin du canapé en esquissant un sourire timide.

— Je me sens mieux, Julie. Vous auriez fait un bon médecin.

— Si j'avais été d'une nature moins délicate peut-être.

— Laissez-moi vous dire que le secret d'un bon médecin, c'est de pouvoir écouter comme vous le faites et de poser les bonnes questions.

Il avait parlé avec une lueur espiègle dans les yeux. Oui, le docteur avait retrouvé son entrain. Il prit le bras de Julie et se leva, revigoré. Il lui demanda:

— Vous êtes libre ce soir, madame?

— Certainement, monsieur.

— Alors j'aurai le plaisir de vous présenter à ma femme, si vous le voulez bien.

— Ce sera un grand honneur pour moi.

Après cet échange de politesses, Julie reconduisit Alain dans le corridor. Au moment de s'éloigner, le vieux médecin hésita. Il revint sur ses pas et déposa un baiser sur le front de la femme.

— Alain, quand ça vous le dira, j'aimerais que vous me parliez de votre fille.

Il hocha la tête doucement, puis s'en fut.

Julie retourna à sa retraite au fond de la petite salle, avec un sentiment d'oppression. Alain ne lui avait pas dit tout ce qu'il avait sur le cœur. Quel était son secret? Mais était-ce si grave qu'il eût même un secret? N'en n'avions-nous pas tous, y compris Tom Stevens dont elle apercevait maintenant les jambes allongées sous la table à café? Car le visage de Tom, elle le pressentait, ne reflétait pas exactement ce qu'il vivait.

Quant à son visage à elle, il mentait lui aussi, obligé qu'il était à faire semblant pour le bien de... Bernard. Elle ne se laissait jamais aller en public, jamais comme tantôt par exemple, en parlant de peur. Mais on ne l'y reprendrait pas deux fois.

Elle contourna le dossier de son fauteuil en énonçant tout haut:

— Vous savez, Tom...

Et elle poussa aussitôt une exclamation amusée. Enfoncé dans son fauteuil, la tête penchée sur son épaule et les bras pendants de chaque côté des accoudoirs, l'acteur dormait comme un enfant. De sa bouche entrouverte, émanait une calme et profonde respiration. Julie saisit le cahier en équilibre instable sur ses genoux et le posa sur la table à café. Dans l'abandon, l'homme fort avait disparu et laissé place à un être vulnérable à la vue duquel elle se sentit remuée. Elle reprit son livre à la page trois.

À dix-sept heures, le jour déclinait. Le livre rejoignit le scénario sur la table à café, et la pénombre envahit leur havre de paix. Vers dix-huit heures, quelques luminaires créaient des îlots de clarté dans la salle, et l'obscurité régnait tout au fond où Julie n'avait pas allumé la lampe près d'elle. Ainsi, elle se sentait à l'abri des regards et pouvait rêver tout éveillée sans déranger personne. Rêver à la douceur ouateuse des fins d'après-midi d'hiver quand on retourne à la quiétude du foyer et qu'on retrouve les voix aimées, fidèles, éternelles...

— À quoi pensez-vous?

La voix de Tom qui sortait du sommeil était chaude, réceptive, présente. Julie resta immobile, car il était inutile de chercher à voir son interlocuteur dans le noir, et elle répondit simplement:

— Je pense à mon père quand je l'accompagnais jusqu'à la porte du rez-de-chaussée où nous habitions et qu'il partait travailler. Un jour, il m'a dit: «Ce soir, je t'emmènerai voir mon secret.» J'avais dix-huit ans. Après le souper, mon père, ma mère et moi, nous avons marché bras dessus, bras dessous jusque devant la vitrine d'un commerce désaffecté, à quelques rues de chez nous. Et là il m'a dit: «Voilà notre librairie, Charlotte. J'ai acheté le local. On ouvrira les portes l'année prochaine.»

— C'est comme ça que vous êtes devenue libraire?

— Oui, ça n'avait pas été prévu que je devienne libraire moi-même parce que c'était d'abord et avant tout le rêve de mon père. Moi, je devais aller à l'université, faire les études que ni mon père ni ma mère n'avaient eu la chance de faire. Ils auraient aimé que j'opte pour une brillante carrière, en droit par exemple. Mais j'ai réalisé le rêve de mon père l'année suivante.

— Qu'est-ce que vous voulez dire?

— C'était l'automne quand j'ai aperçu ce local pour la première fois. Devant mon air ébahi, mes parents ont éclaté de rire. Ils m'avaient placée entre eux, je tenais le bras de chacun et je me sentais la plus riche du monde. Pas à cause du local ou de l'argent que mon père espérait gagner dans ce nouveau métier, mais à cause de leurs rires, de leur beauté, de leur bonheur de vivre ensemble depuis plus de vingt ans. Ils ont refermé leurs bras sur moi et m'ont entraînée dans une farandole à trois sur le trottoir. On s'embrassait les uns les autres, en pleurant de joie et en chantant des airs à la mode. Je n'ai jamais revécu de moments aussi purs, j'étais dans une innocence totale par rapport à la vie. Je croyais, dans ma naïveté, que le monde nous appartient à jamais parce qu'on aime... C'était l'automne et...

Julie étouffa une plainte sous sa main, puis se ressaisit.

— Je ne veux pas vous ennuyer.

— Vous ne m'ennuyez pas du tout, dit-il avec douceur.

— Je ne voulais pas... je ne veux pas de tout ça.

— De tout quoi?

Julie tendit la main vers la lampe à côté de son fauteuil.

— S'il vous plaît, n'allumez pas, insista Tom.

Julie hésita, puis se résigna et se cala dans son fauteuil.

— Moi aussi, ajouta Tom, je ne voulais pas de cet arrêt forcé sur une île déserte. J'ai perdu tous mes repères, et ça m'inquiète. Mais il faut continuer de vivre, continuer... et peut-être commencer à parler.

— C'est facile à dire pour vous, Tom. Vous êtes acteur, vous avez appris à parler.

— Au contraire, jouer c'est apprendre à se cacher derrière les mots des autres. C'est ne jamais être seul avec soi-même. C'est étrange à dire, mais je crois que je n'ai jamais vraiment parlé ni écouté. Parce que parler ou écouter, ça revient au même: à s'impliquer.

La confidence de Tom désarçonna Julie, mais elle ne parlerait pas davantage. C'était aussi l'île déserte qui lui faisait perdre sa discrétion habituelle et sa retenue, qui faisait naître en elle cet impudique besoin de se raconter. Et c'était l'obscurité qui les enveloppait, loin des voix et du va-et-vient incessant dans l'hôtel, qui lui donnait le goût d'appeler à l'aide et de pleurer.

Elle posa la main sur sa gorge: s'y pressaient tous les mots imprononçables des dernières années et qui l'étouffaient. Non, elle ne parlerait pas à un étranger, elle ne voulait pas, il ne fallait pas. Se taire, se taire, se taire. Toujours. Quoi faire d'autre? Pourtant, malgré elle, s'entrouvrirent ses lèvres et s'éleva une voix rauque:

— C'était l'automne et... ma mère est morte, l'hiver venu, d'une commotion cérébrale. Au printemps, mon père, inconsolable, n'était plus que l'ombre de lui-même. J'ai abandonné mes études. À l'été, j'ouvris seule la librairie. Mon père restait cloué dans la chaise berçante de la cuisine où ma mère avait, durant tant d'années, guetté son pas dans l'escalier. Il n'est jamais venu voir sa librairie. Il est mort subitement dans sa chaise berçante, un après-midi de l'hiver suivant, quelques heures avant que je rentre du travail.

Depuis combien de temps Tom et Julie gardaient-ils le silence dans le noir? Elle n'aurait pas su dire. La douleur pesait de tout son poids sur ses épaules et l'écrasait dans son fauteuil. Elle était habitée par une émotion si violente qu'elle ne se sentait pas la force de franchir le mur du silence et de réintégrer la cacophonie de la vie quotidienne. Pourtant, quand Tom lui demanda s'il avait ronflé, elle partit à rire. Il ajouta d'un ton contrit:

— Oui, j'ai ronflé et c'était si ridicule que vous auriez fait semblant de ne pas me connaître si on vous avait demandé qui j'étais!

Elle continua de rire jusqu'à ce que la pression, au centre de sa poitrine, eût disparu comme par magie. Elle se tut aussi brusquement qu'elle s'était esclaffée. Mais avec le sentiment vivifiant qu'elle avait franchi le mur du silence et qu'elle était revenue parmi les siens.

— Vous vous moquez si gentiment de moi, dit-elle, que je ne pourrais pas vous en tenir rigueur.

— Je ne me moque pas de vous, mais de moi. Je vous l'ai dit, vous croyez en la parole des gens, et c'est ce qui est le plus important à mes yeux.

— Comment pouvez-vous savoir ça à mon sujet? Après tout, on se connaît si peu.

— C'est vrai. Mais quand on ne croit pas en la parole des gens, on n'a pas comme vous le trac à les quitter. On ne tombe pas malade parce qu'on est loin d'eux. On prend simplement ses pénates et on s'en va. On n'a surtout pas votre indulgence à l'égard des étrangers.

— Pourquoi ne pas croire en la parole des gens, Tom?

— Parce qu'ils m'ont trop menti dans la vie, je vous l'ai dit aussi.

— C'est vrai, vous me l'avez dit. Mais je crois que les gens ne mentent pas sciemment, ils se mentent le plus souvent, et c'est autre chose. Ils trompent les autres, pour se protéger eux-mêmes d'abord...

— Peut-être... peut-être.

— Vous êtes marié, Tom?

— Non, mais j'ai divorcé trois fois. Et ma compagne actuelle m'a demandé en mariage à Paris! Je dois réfléchir à sa proposition dans les jours qui viennent sinon... Avec son métier de top-model et mon métier d'acteur, c'est à peine si on parvient à se voir une semaine par mois. Elle voudrait diminuer son rythme de travail et me suivre davantage dans mes déplacements.

Un long silence plana sur Tom et Julie. Puis il déclara:

— Je n'ai jamais aimé de ma vie.

— Tom, ne me dites rien sur elle et sur vous que vous regretteriez plus tard de m'avoir confié. C'est l'île déserte qui nous fait perdre nos moyens...

— Laissez-moi parler, Julie. Je ne juge pas ma compagne, je me juge, moi!

Le ton douloureusement impératif de son interlocuteur apaisa les derniers scrupules de Julie, et il poursuivit:

— J'ai vécu avec des femmes; je leur ai offert des bijoux, des maisons, des voyages, et mes incessants hommages et compliments, mais je ne leur ai jamais rien donné de moi. Tout au plus une maigre parcelle de mon temps payé grassement par les autres... C'est étrange comme tout est clair ici, sur cette île déserte... Peut-être parce que je n'ai plus aucun contrôle sur ma vie, peut-être parce que je me sens totalement impuissant devant les éléments. Je peux me l'avouer maintenant et devant vous seulement... Ma vie a été une longue fuite derrière les mots et les émotions des personnages que j'incarnais sur scène ou à l'écran. Ah oui! J'ai joué les amoureux transis avec passion et les amoureux déçus avec plus de conviction encore, mais parce que j'avais bien appris mes textes. En réalité, je n'ai jamais aimé, Julie. Jamais.

CHAPITRE 5

— Non, madame, la situation n'a pas changé depuis les dernières heures! répondit l'employé exacerbé qui avait reconnu en Julie la cliente du matin.

— Je m'étais dit que peut-être...

— Vingt-quatre heures! l'interrompit le jeune homme en adressant un regard impatient à Shirley qui accompagnait Julie. J'ai bien expliqué à votre amie ce matin que la ligne téléphonique ne serait pas rétablie avant vingt-quatre heures, c'est-à-dire pas avant demain matin! Je n'y peux rien, moi!

Sur ces derniers mots, l'employé se tourna vers d'autres clients agglutinés devant son comptoir et qui lui posaient tous en même temps les sempiternelles questions depuis leur arrivée: quand l'aéroport rouvrirait-il? quand rejoindraient-ils Montréal? quand le téléphone serait-il en usage?...

Julie encaissa mal le coup: une expression angoissée lui déforma le visage. Shirley prit son bras et la conduisit dans un coin du hall d'entrée où la circulation humaine était moins dense. Elle regarda Julie chercher son médicament dans son sac et remarqua que ses mains tremblaient.

Avec Brigitte, Shirley était venue chercher Julie et Tom pour souper. En apercevant l'obscurité qui enveloppait leurs fauteuils à hauts dossiers, elle avait eu un mouvement de retrait dont s'était rendu compte Brigitte. Aussitôt, cette dernière s'était mise à taper des mains en criant que l'heure du souper était arrivée. Julie avait répondu à l'appel en sortant avec empressement du coin sombre et en agrippant Shirley par le bras. Sans attendre Brigitte et Tom, Julie avait entraîné sa compagne vers le hall où elle avait interrogé l'employé avec insistance.

Shirley se massa discrètement l'avant-bras: la poigne de Julie avait été forte et énergique. Elle lui demanda si ça allait mieux.

— C'est que je suis inquiète pour mon mari, répondit évasivement Julie en replaçant son tube de pilules dans son sac.

— Mais la radio, la télévision et les journaux l'ont déjà informé de ce qui t'est arrivé, voyons! Et s'il t'aime comme je le crois, c'est lui qui doit s'inquiéter pour toi.

— C'est gentil ce que tu dis.

— Mais je le pense! Parce qu'il doit savoir combien tu te préoccupes des gens que t'aimes, non?

Julie hocha la tête, moins par conviction que par crainte d'importuner davantage sa compagne.

— Oui, tu as raison... Tu m'excuseras quand même auprès des autres, je vais monter dans ma chambre.

— T'as rien bouffé à midi! Et tu ne mangerais pas non plus ce soir?

— À mon âge, tu sais, on n'a pas besoin...

— À ton âge! Mais on te prendrait pour ma sœur, Julie, pas pour ma mère!

Julie sourit, étonnée par le sans-gêne de Shirley qui contrastait avec sa timidité du matin, et elle le souligna:

— Tu as changé, toi, ma belle, et j'aime ça.

Shirley regarda le plancher et se mordit les lèvres:

— C'est à cause de notre conversation, je crois...

Et en levant les yeux, elle afficha son nouvel air intrépide:

— Puis, je veux absolument que tu connaisses Simon! Et je veux qu'il te connaisse mieux lui aussi! Ah, Julie, viens souper avec nous! Ça nous ferait tellement plaisir!

La prière de Shirley était décidément insistante.

— Alors, laisse-moi m'asseoir près de vous deux.

— Non, entre nous deux!

Et dans son bonheur, Shirley agrippa Julie par le bras et, à son tour, l'entraîna avec vigueur vers la salle à manger.

En grande conversation avec son copilote, le commandant aperçut les deux femmes qui approchaient, bras dessus, bras dessous. Imbu de sa propre personne, il ne pouvait imaginer qu'elles se dirigeaient ailleurs que vers lui. Il se leva au bout de la table et ouvrit grands les bras dans un geste théâtral:

— Mesdames, daignez vous asseoir chacune aux côtés de votre humble serviteur.

Et il fit signe à Simon de s'éloigner d'une chaise. Ironique, le regard que les deux femmes échangèrent à l'insu de leur victime. Shirley voulut s'opposer quand Julie lui glissa à l'oreille:

— Chut! chut! ton amoureux m'en voudrait trop si je vous séparais.

Et tandis que Shirley se précipitait dans les bras de Simon, le commandant reculait la chaise sur sa droite et invitait Julie à y prendre place. Il s'assit à son tour:

— Les premiers arrivés, les premiers servis, dit-il, en versant du vin dans les quatre coupes devant lui.

— Je peux?

Julie tourna la tête vers la voix qui lui avait posé la question. Quand elle reconnut le steward, l'assurance lui revint:

— Certainement, la place est libre.

François s'assit à côté de Julie et tendit sa coupe au commandant qui ne vit pas son arrivée d'un bon œil. Son commentaire s'en ressentit:

— Vous savez, Julie, je suis un amateur de vins. Mais l'art n'est pas tant de pouvoir déguster les bons vins que de pouvoir être en mesure de porter la boisson.

— Ne vous inquiétez pas, commandant, riposta François, je sais me tenir en société... quand la société le mérite.

Gérard posa bruyamment la bouteille de vin sur la table, tout en fusillant son steward du regard.

— Messieurs, s'il vous plaît! prononça Julie avec fermeté. Le vin est bon. Nous supportons seulement très mal les contraintes extérieures.

— Merci de nous le rappeler, dit Gérard en avalant une gorgée de vin.

— O.K., j'ai compris! enchaîna François, l'air excédé. Mais c'est que le temps ne passe pas! J'ai l'impression qu'il s'est arrêté pour de bon... Il n'y a plus rien à faire.

Julie se tourna vers François, songeuse.

— C'est vrai, il me semble à moi aussi que chaque seconde est une minute, chaque heure, une journée. Depuis hier seulement que je suis arrivée, et cela me paraît une éternité.

François acquiesça. Et Julie vit dans ses yeux le reflet d'une tension nerveuse identique à la sienne. Ce garçon était intelligent et sensible, elle n'en douta pas un instant. Mais elle le sentait aussi en proie à de vives émotions, qu'il avait peine à contrôler dans le contexte actuel, et auxquelles son humeur belliqueuse servait d'exutoire.

— Moi, déclara Simon, je sais que je ne pourrai jamais plus revenir en arrière, et j'en suis très heureux!

D'un bras vigoureux, il entoura les épaules de Shirley qui se pressa contre lui.

— Oui, lui répondit-elle, hier est tellement loin. Aujourd'hui, je peux recommencer ma vie.

À cette déclaration ingénue, vu le jeune âge de Shirley, Gérard rit à gorge déployée. Julie et François affichèrent des sourires forcés. Recommencer sa vie, pensa Julie, était-ce souhaitable pour tous? Une question plus redoutable cependant tournoyait dans sa tête: n'était-ce pas inévitable parfois?

— Vas-y, Simon, raconte-lui tes projets!

Shirley secouait le bras de son amoureux pour l'encourager à parler. Devant l'hésitation du garçon, Julie lui posa elle-même des questions, en sachant combien leur échange plairait à sa jeune amie. Et flatté par l'intérêt que lui manifestaient les deux femmes, Simon répondit avec enthousiasme.

Julie hochait la tête de temps à autre, ponctuait le monologue de Simon de «oui» approbateurs, mais n'écoutait en fait que d'une oreille. Le couple était jeune et charmant. Ces tourtereaux avaient tout l'avenir devant eux, et c'est ce qui la fascinait. Julie se doutait bien que les projets de Simon, se construire une maison à la campagne, vivre de l'élevage des moutons, englobaient le futur immédiat de Shirley, mais elle n'en fit rien voir. Elle se contentait de trouver passionnants «ses» projets et touchante la réaction de Shirley qui n'admirait que davantage celui dont les idées inspiraient tant sa sympathie.

D'une voix agacée, Gérard interrompit alors cet entretien paisible:

— Où Brigitte et Tom peuvent-ils bien être passés? Tu m'as dit, Shirley, qu'ils vous suivaient?

— Oui, répondit-elle, ils sont sortis de la salle en même temps que Julie et moi, mais nous, on s'est arrêtées dans le hall d'entrée.

— Je parie, rétorqua François d'un ton caustique, que Brigitte avait oublié quelque chose dans sa chambre.

Le sous-entendu du steward fut accueilli par un silence pesant que rompit Julie:

— Dites-moi, François, vous travaillez avec Brigitte depuis longtemps?

La question surprit le jeune homme qui se tint sur ses gardes.

— Pas vraiment... depuis six mois environ.

— Oui, je vois. En voyant Brigitte à bord de l'avion, j'ai été frappée par son sourire, son amabilité envers les gens, sa grande sociabilité. Vous ne trouvez pas qu'elle a beaucoup de magnétisme?

Une rougeur colora les joues du jeune homme qui soutint le regard de Julie, mais sans répondre.

— Vous ne trouvez pas? répéta Julie froidement, sans broncher.

Après un moment, François cligna les paupières et murmura:

— Oui, vous avez raison...

— J'en suis sûre. Brigitte est le genre de femme qu'il est difficile de ne pas aimer, presque immédiatement.

La voix de Julie était tranchante. Elle continua de regarder son voisin dans le blanc des yeux jusqu'à ce qu'il baisse les paupières. Le commandant toussa et dit d'un ton évasif:

— Bon, je vais aller me servir!

Avec une voix attendrie, Shirley ramena cependant la conversation sur Brigitte:

— C'est vrai, Julie, ce que tu dis sur Brigitte. La première fois que j'ai travaillé comme hôtesse, j'ai fait une gaffe et renversé des plats. L'équipage a ri de moi et je ne savais plus quoi faire. Mais Brigitte est venue aussitôt vers moi et m'a dit de ne pas m'en faire. Elle a réparé mes dégâts et m'a encouragée avec une patience d'ange pendant tout le vol. Elle est toujours comme ça avec les gens, hein, Simon?

Simon confirma les dires de sa compagne:

— Je la connais depuis des années. Brigitte a le cœur sur la main.

À cette dernière remarque, un rire cruel s'échappa des lèvres de François. Ce qui souleva la colère de Shirley:

— Tu sauras, François Goudreau, que si Brigitte a un défaut c'est de trop aimer! Et des gars comme toi sont des écœurants!

— Va chier! rétorqua François.

Un poing s'abattit sur la table avec force.

— Ça suffit! ordonna le commandant d'une voix autoritaire qui se radoucit aussitôt. On n'est pas en service, mais on se doit de rester entre gens civilisés!

Là-dessus, François se leva et fila vers le buffet. Quant à Gérard, après les salutations obséquieuses mais rassurantes prodiguées aux gens des tables voisines, il sortit un mouchoir de sa poche et s'essuya le front et les mains luisants de sueur. Un regard de reproche à Shirley, puis un autre d'excuse à Julie, avant de s'apitoyer sur son propre sort:

— Que la situation se rétablisse au plus vite, avant qu'on se prenne à la gorge les uns les autres!... C'est que j'ai une responsabilité après tout. Les projecteurs, n'oubliez pas, sont toujours braqués sur le chef.

— J'ai entendu dire qu'il y avait eu des bagarres cet après-midi au bar, remarqua François, visiblement pour atténuer la gravité de l'altercation.

— Peut-être, mais on n'a pas à en venir aux mains pour manquer d'élégance! conclut le commandant, fort soucieux des apparences.

— L'île déserte... murmura Julie comme à elle-même.

— Pardon? fit Gérard.

Julie sortit de ses réflexions.

— C'est d'être enfermé dans tout ce blanc à perte de vue, dans cette île déserte, qui nous fait oublier nos...

— Ah, les voilà! s'écria Shirley en pointant son index vers Brigitte et Tom, à l'entrée de la salle. Ils sont avec le docteur!

Au cri de la jeune femme, Julie regretta de ne pas être montée dans sa chambre quand elle le pouvait encore.

— Que disiez-vous? s'enquit Gérard en se penchant vers elle.

— Ah, je ne sais plus! Je regrette... Je ne sais plus ce que je disais.

*

74

— Où étiez-vous passées? demanda Brigitte à Shirley. On vous a cherchées partout, puis on est tombés sur Alain!

Brigitte s'assit au bout de la table et Tom, à la place qu'il occupait au déjeuner; cette fois, il avait Shirley comme voisine et Alain comme vis-à-vis. Les jeunes femmes continuèrent leur échange avec volubilité tandis qu'Alain tendit le bras et effleura la main de Julie. Seule la chaise vide de François les séparait.

— Vous n'avez pas oublié notre rendez-vous ce soir, n'est-ce pas? s'informa-t-il.

— Pas du tout. Comment le pourrais-je?

En se penchant vers le docteur pour prononcer la dernière phrase, Julie avait senti le regard de Tom se poser sur elle. Elle se redressa, envahie par un brusque accès de timidité, et baissa les yeux.

— Tout le monde a encore changé de place à table, s'exclama Brigitte, à l'exception de Gérard et de Tom. Qu'est-ce que ça peut bien révéler de ces messieurs?

— De la stabilité, peut-être, énonça Alain sur le ton de la raillerie.

— Je m'excuse, docteur, rétorqua Simon, piqué au vif. On peut être stable tout en suivant son cœur!

— Mais c'est moi qui te suis, le corrigea sa dulcinée à voix basse.

— Non, Shirley, c'est moi...

— Pas la peine de vous chicaner, les amoureux, répondit Alain. L'amour est sourd.

On partit à rire autour de la table; Julie fit de même, mais le cœur n'y était pas. Elle n'espérait qu'une chose: le retour de François. En s'assoyant à sa droite, il la soustrairait en partie au champ de vision de Tom, du moins c'était l'impression qu'elle avait. Et pour une raison qu'elle s'expliquait mal, elle se sentirait plus confortable.

— De la stabilité, vous dites? reprit Gérard le plus sérieusement du monde.

Il hésita, puis claironna:

— Non, cette disposition, cet ordre autour de la table, une coïncidence, docteur, rien de plus, une pure et simple coïncidence... La preuve? La prochaine fois, je laisserai les commandes à l'un d'entre vous et...

Heureusement pour lui, le commandant fut interrompu par les amoureux qui continuaient de se prendre au bec avec un plaisir évident. Ils se tiraillaient encore en bondissant de leur siège pour se précipiter vers le buffet.

— Et vous, Tom? s'informa Alain. Après tout, c'est dans l'esprit de notre emprisonnement ici: il semble qu'il nous faille tous, à un moment donné, passer aux aveux.

— Eh bien moi, je n'ai pas été une nature très stable depuis ma vingtaine et j'ai toujours évité ce qui est routinier. Ici pourtant, j'apprends à aimer les habitudes. C'est peut-être la raison inconsciente qui me fait chérir ma place à cette table.

La voix avait traîné sur les derniers mots avec un accent doux et chantant qui n'échappa nullement à Julie. Elle se sentit faiblir et prit une gorgée de vin comme médecine.

— C'est vrai, déclara Alain, qu'en vieillissant on apprécie les petits rituels. C'est tout ce qui nous reste d'ailleurs quand on a fait le tour de son jardin.

Julie s'apprêtait à se lever quand François s'assit à côté d'elle. Elle soupira d'aise: elle attendrait encore un peu avant de se mêler à la foule bigarrée qui s'agglutinait devant le buffet.

— Des plats réchauffés! maugréa François. Les cuisiniers ne fournissent pas à la tâche. Si les routes ne sont pas dégagées demain, il va vite falloir nous rationner!

— Ce sera juste bon pour notre ligne, suggéra Brigitte.

Elle s'était adressée à son confrère avec gentillesse, dans un esprit de conciliation. François ignora sa remarque et plongea le nez dans son assiette. Gérard intervint aussitôt, pressé de réparer l'impolitesse du jeune homme... pour mieux la mettre en évidence.

— Alors, Brigitte, demanda-t-il, tu me fais l'honneur de m'accompagner jusqu'au buffet? Et nous jouirons du privilège de votre compagnie, Julie?

— Oui, oui, allez-y, je vous rejoins, répondit Julie en ramassant son sac.

François lui glissa à l'oreille:

— Je manque de galanterie, c'est vrai, et vous m'avez donné la leçon que je méritais tantôt. Mais pour ma défense, je dois préciser que Brigitte est aussi le genre de femme qui se plaît à faire souffrir l'homme qui l'aime sincèrement.

La confidence du jeune homme, faite dans un moment de tristesse et de désenchantement, ne surprit pas Julie. Elle observa son visage sombre aux traits tirés et à la mâchoire crispée. Malgré son presque quart de siècle, il avait l'air têtu et arrogant des petits garçons qui ruminent leur première grande peine d'amour. Il n'arrivait pas à oublier.

— Je ne voulais pas vous faire la morale, dit-elle, seulement vous rappeler qu'il y a des souffrances qui doivent rester des affaires privées... entre vous et votre conscience.

— Et si moi, je voulais qu'elle sache combien elle me fait mal?

— Mais elle le sait déjà.

Espérant qu'on la laisse enfin seule, Julie s'excusa et se glissa dans la file d'attente qui s'écoulait lentement devant le buffet.

Pourquoi avait-il fallu qu'elle parte de Paris un jour en retard? Et d'abord, pourquoi avait-il fallu qu'elle aille à Paris? N'aurait-elle pas dû renoncer à cette visite au Salon du livre, à cause des risques que le voyage comportait et qu'elle mesurait pleinement aujourd'hui? Tempêtes, changements d'horaires, contretemps de toutes sortes. Mais comment se prémunir totalement des imprévus? Comment?

Julie jeta un coup d'œil sur les tables où les conversations allaient bon train entre des gens qui étaient des étrangers la veille. Dans la file qui serpentait sous ses yeux jusqu'au buffet, tout le monde semblait se lier d'amitié. Elle avait même vu plusieurs personnes échanger des adresses ou des numéros de téléphone sur un bout de papier. D'autres, c'est vrai, avaient échangé des injures ou des coups de poing, mais c'était une minorité.

Un rire éclata tout à coup non loin d'elle: elle reconnut celui de Brigitte et se leva discrètement sur la pointe des pieds. La jeune femme au sourire éclatant s'entretenait avec Tom, Alain et Gérard à quelques mètres devant Julie. Oui, c'était bien cela, une jeune femme qui ne manquait jamais de civilité, qui se révélait toujours d'un commerce agréable et facile. Julie n'enviait pas Brigitte qui avait ses qualités et ses défauts comme tout un chacun. Pas d'envie, mais le constat que ces qualités-là lui manquaient cruellement. Car elle se sentait farouche, se trouvait inadaptée lors des rencontres sociales ou des rassemblements mondains. Et elle n'aimait pas les imprévus.

C'était pourtant un imprévu qui l'avait fait croiser le chemin de Bernard la seconde fois, presque deux ans après sa rencontre dans un party d'étudiants. Elle avait ouvert la librairie de son père à la fin de juin. En saison estivale, elle éviterait d'être débordée par l'affluence de clients et s'apprivoiserait ainsi lentement à son nouveau travail. Puis elle avait encore tant de livres à classer, toute la décoration à terminer. Il lui fallait en outre s'adapter aux pénibles conditions de vie dans lesquelles la mort de sa mère les avait précipités, elle et son père. Elle se devait d'être forte et courageuse pour deux, car son père avait sombré dans une grave dépression et avait dû quitter son emploi. À dix-neuf ans, Julie ne devait plus compter que sur ses propres moyens.

Ce jour-là, une douzaine de clients avaient défilé dans la librairie depuis son ouverture le matin. L'après-midi tirait à sa fin: Julie fermerait dans une heure. Elle travaillait dans le bureau au fond de la boutique quand la clochette de l'entrée avait retenti. Elle avait laissé en plan sa tenue des comptes et avait marché vers le client qui s'attardait devant une étagère de livres. Quand elle lui avait demandé si elle pouvait l'aider, le jeune homme s'était retourné: Bernard! La surprise passée, ils avaient parlé comme de vieilles connaissances. Et dans la conversation, elle avait appris qu'il s'était inscrit en droit à l'université. Cet été serait donc son dernier été de vacances.

Ils s'étaient liés d'amitié et Bernard avait passé l'été à la librairie pour aider Julie dans son travail. Ce n'est que deux mois plus tard, après l'avoir enlacée avec fougue dans le bureau, qu'il lui avait avoué avoir appris par l'intermédiaire d'un copain l'ouverture de sa librairie. Il était venu sciemment au magasin pour la revoir, car il ne l'avait jamais oubliée depuis leur première rencontre...

— Est-ce que je vous dérange?

Julie se retourna et aperçut Tom qui enlevait ses verres fumés pour lui parler. Ce geste l'agaça.

— Pas du tout... j'attends patiemment comme tout le monde.

— Vous aviez un air rêveur.

— Ah oui?... Oui, enfin, je... Je pensais à mon mari. C'est très dur d'être séparée de ceux qu'on aime. Bernard et moi, nous sommes mariés depuis presque quinze ans. Le temps crée des liens indissolubles.

Julie avait appuyé sur le dernier mot. Tom hésita un instant, en jouant avec les branches de ses lunettes, puis il ajouta:

— Vous êtes sortie très vite du salon tantôt. J'espère n'avoir rien dit qui ait pu vous blesser ou vous mettre mal à l'aise?

— Mais non, voyons, quelle question! Tout a été très sympathique et amical. Et puis nous avons beaucoup dormi. Non, ça m'a vraiment plu de mieux faire connaissance. Après tout, il est rare de croiser un acteur de cinéma. Mon monde est si différent du vôtre!

— Vous croyez?

La question de Tom était posée avec une réticence qui contrastait avec les réponses catégoriques de Julie.

— Absolument! Vous voyez, j'aime la solitude avec mes livres et vous aimez le travail d'équipe, les bains de foule...

— Vous croyez? l'interrompit-il, d'un ton plus perplexe encore.

La question, cette fois, provoqua un mouvement d'impatience chez Julie qui se mit à manipuler nerveusement un bouton de son gilet. Tom continua:

— Il m'a bien fallu apprendre à supporter les inconvénients de mon métier. Après avoir gagné ma vie pendant dix ans comme un obscur acteur de théâtre, le passage à la célébrité qu'apporte le cinéma fut loin d'être facile. J'y ai laissé des plumes. Maintenant je suis moins une star qu'un bon acteur de cinéma, et c'est tant mieux. C'est beaucoup plus satisfaisant au niveau du travail. La solitude m'est redevenue accessible et j'y ai recours le plus souvent possible. Mais en cessant de tenir un rôle, je me retrouve aussi timide et renfermé que durant ma jeunesse. Croyez bien que je ne m'étais jamais ouvert comme je l'ai fait tantôt...

Julie hochait la tête machinalement. Pourquoi lui en voulait-elle de lui dire ces choses personnelles avec un air tout simple, sans affectation? Elle aurait voulu se boucher les oreilles et en même temps cette impulsion la terrorisait. Pourquoi tant d'exaspération tout à coup à l'endroit d'un homme qui lui inspirait tant de respect? Quand il eut terminé, Julie déclara:

— Si je suis sortie si vite du salon, c'est que j'avais hâte de savoir ce qu'il en était des lignes téléphoniques. Je m'ennuie terriblement de mon mari, je m'inquiète, je ne tiens plus en place, quoi!

— Vous vous inquiétez de quoi au juste?

La question prit Julie au dépourvu et elle haussa les épaules:

— Bah, de tout et de rien. Enfin, je ne m'inquiète pas vraiment. Bernard est un homme impatient comme tous les fonceurs. Il tolère mal mes absences.

— C'est donc lui qui s'ennuie de vous terriblement.

La correction de Tom irrita Julie.

— Ce n'est pas lui ni moi, mais nous deux. La distance qui nous sépare nous effraie, voilà tout.

Là-dessus, Julie ramena la conversation sur les plats réchauffés du buffet, l'attente interminable dans la file, la neige qui avait arrêté de tomber, la perspective de rentrer à la maison bientôt... Elle parlait rapidement et balayait les alentours d'un regard circulaire, tout en continuant de malmener le bouton de son gilet. Et son sourire restait figé sur ses lèvres. Tom ne crut manifestement pas en son stratagème.

— Julie, est-ce que je peux vous aider? demanda-t-il avec sollicitude.

— Non, vous ne pouvez pas m'aider! répliqua-t-elle. Et je n'aurais jamais dû vous parler de cette inquiétude. Il faut aimer pour comprendre ce que ce mot veut dire.

Julie posa une main sur sa bouche:

— Pardon! Ce n'est pas ce que je voulais dire. Ce n'est pas...

— Non, c'est moi! Je m'excuse, Julie. Ma question était déplacée.

Mais Julie faisait signe que non de la tête. Elle posa une main sur le bras de Tom et murmura:

— Pardonnez-moi ces mots. J'ai beaucoup d'estime pour vous.

Elle baissa le front, submergée par l'émotion. Tom enserra la main de Julie dans la sienne et chercha à voir sa frimousse derrière la cascade de cheveux qui lui faisait écran. Il dit:

— Je n'ai rien à vous pardonner. Moi, j'apprends à parler, alors je peux être gauche ou brutal dans mes questions.

Mais elle ne semblait pas l'entendre. Elle jeta un regard craintif autour d'elle et bégaya:

— Je voulais vous dire... avec tout ce qui m'attend... au retour...

Elle fit un dernier effort, avala sa salive et avoua:

— Je suis morte de peur, vous comprenez, tout simplement morte de peur. Et personne ne peut m'aider.

Ils se dévisagèrent longuement. Tom vint pour replacer une mèche rebelle qui barrait le front de Julie, mais retint son geste. Elle se détourna et démêla elle-même ses cheveux. Une gêne subite les fit reprendre conscience de la réalité qui les entourait. Et l'air gauche, en ne sachant plus quoi faire de leurs mains et de leurs corps qui restaient dans une grande proximité physique, ils gardèrent le silence dans la file d'attente.

Après quelques minutes, Julie lui souffla à l'oreille:

— Je vous en prie, oubliez ce que je viens de vous dire.

Comme Julie lui tournait maintenant le dos, Tom remarqua son gilet de brocart duquel jaillissaient le col et les manches de sa blouse blanche: les motifs de fleurs qui parsemaient ses épaules tremblaient. Et ce fut comme un réveil après une étrange paralysie de l'esprit. Il saisit l'assiette des mains de sa compagne.

— Allez vous asseoir, Julie, ordonna-t-il avec autorité.

— Non, je dois compter sur mes propres moyens! Autrement je deviendrais un boulet pour tout le monde.

Il demeurait insensible à ses prières:

— J'insiste! Et puis vous ne serez jamais un «boulet», comme vous dites. Regardez autour de vous, regardez comment les gens viennent à vous. Votre douceur et votre force intérieure les attirent tous... sans exception.

*

— Madame est servie!

Quand Tom se pencha au-dessus de l'épaule de Julie pour lui présenter son assiette, elle remarqua ses verres fumés. Il avait dû les remettre après qu'elle l'eut quitté dans la file d'attente. Cette fois, au lieu de l'agacer, ce geste la flatta, tout en augmentant sa confusion. Un sentiment de culpabilité l'empêcha de sourire comme elle l'aurait voulu, et elle se borna à le remercier avec politesse.

Les autres convives mangeaient et jasaient depuis quelque temps déjà. Julie pouvait se compter chanceuse: enhardis par le thème de l'héroïsme, les hommes discutaient ferme de leurs actes de bravoure respectifs et laissaient les femmes dans leur silence admiratif ou méditatif. Elle put terminer son repas, prendre une deuxième tasse de thé, en suivant les péripéties courageuses d'Alain qui avait servi en tant que médecin dans les Forces alliées, lors de la guerre de Corée; puis celles de Gérard qui avait survécu à un crash durant sa jeunesse alors qu'il était copilote. À cause de leur âge, Simon et François durent s'accommoder d'exploits moins mémorables: le dernier avait sauvé un ami d'une chute en montagne, lors d'une escalade; le premier avait sauvé sa peau en s'accrochant au dos de sa chaloupe quand il ne savait pas nager.

Le narcissisme des hommes plaisait bien à Julie ce soir, car il lui assurait intimité et paix d'esprit. Elle n'avait qu'à faire acte de présence, à être un des témoins privilégiés de leurs récits épiques, et la tranquillité lui était garantie. Brigitte et Shirley ne s'imposaient pas dans la conversation, mais il est vrai, pensa Julie, que l'héroïsme des femmes en général est plus discret, moins tapageur ou tape-à-l'œil. Bien ancrées dans leurs chaises, les sourcils en accents circonflexes, les jeunes femmes goûtaient par contre au plaisir inégalé de l'enfant qui écoute des contes de fées et qui n'a pas encore à les fabriquer. Avec une aisance et une habileté consommées dans l'usage des interjections, elles avaient développé le grand art de s'abandonner aux histoires des autres, en les provoquant et en les animant tour à tour.

Ne troubla la paix d'esprit de Julie que la voix de Tom répondant à Alain:

— L'acte le plus courageux que j'ai posé? Attendez...

Julie tendit l'oreille sans regarder Tom qui énonça calmement:

— Dormir en présence d'une étrangère.

Les filles s'esclaffèrent, les hommes aussi. Julie cacha sa fébrilité en se servant une troisième tasse de thé.

— Tom, s'exclama Brigitte, vous êtes un rustre!

Gérard, qui terminait de s'essuyer les yeux, ajouta avec l'assurance de celui qui s'y connaît:

— Ma main au feu que votre dame en fut ulcérée!

— Pourquoi aurait-elle dû être ulcérée?

— Parce que... parce que... C'est une goujaterie à l'endroit d'une femme comme ce serait une impolitesse à l'endroit d'un homme.

Le ton du commandant ne souffrait aucune réplique. Pourtant, Tom rétorqua avec aplomb:

— D'abord, vous ne connaissez pas toutes les femmes, Gérard, et vous connaissez peut-être mal celles qui vous sont proches. Puis ce n'est pas parce que vous êtes un homme que vous connaissez mieux les hommes. Cette femme n'en fut pas vexée parce qu'elle a compris que je lui rendais une sorte d'hommage. Dormir en sa présence impliquait une confiance totale en elle. Et pour moi, croire en une personne que je connais à peine reste un acte des plus courageux.

Le ton intimiste des dernières phrases avait coupé court aux protestations amusées des autres convives et avait plongé Julie dans un trouble indescriptible.

Elle fut soulagée d'entendre Alain annoncer à la tablée qu'il aurait l'honneur de présenter Julie à son épouse; comme ça, tous sauraient que sa soirée était prise. Elle fut aussi soulagée de pouvoir quitter la table au bras d'Alain, avant le retour de Tom qui s'était absenté quelques minutes. En sortant de la salle à manger, elle laissa échapper un soupir et appuya sa tête sur l'épaule d'Alain. Mais elle se redressa aussitôt, une main sur sa poitrine.

— Qu'y a-t-il, Julie?

— Rien, absolument rien! C'est la digestion.

Et elle cacha sa main derrière son dos en souriant de toutes ses dents.

Une douleur lancinante venait de lui traverser le cœur.

CHAPITRE 6

Au second étage, Alain et Julie jouèrent des coudes pour sortir de l'ascenseur bondé. Puis Julie reprit le bras de son ami, et ils marchèrent lentement en direction de la chambre de madame Dufour.

— Je ne sais pas dans quel état mon épouse va vous recevoir, parce que son état varie d'heure en heure. Mais pour elle, le plaisir de vous connaître était plus grand que l'appréhension d'une indisposition passagère.

— De quoi souffre-t-elle au juste?

— Je l'ignore, ou devrais-je dire, la science l'ignore... Notre fille est morte dans un accident de la route, il y a dix mois. On croit qu'elle s'est endormie au volant. Elle a perdu le contrôle de sa voiture qui a foncé contre un arbre. Elle était médecin et avait quitté l'hôpital ce soir-là beaucoup plus tard qu'il ne fallait. C'était un bourreau de travail, dévoué corps et âme à sa profession, à en oublier de manger ou de se reposer minimalement.

Alain fit une pause, à court de souffle, étranglé par l'émotion. Puis il continua:

— Depuis, ma femme n'est plus la même. Elle a pris le lit après les obsèques de Judith et son état s'est détérioré de mois en mois. Elle a vu différents spécialistes:

ce n'est pas un problème physique. Consulter un psychanalyste l'aurait aidée à faire le deuil de notre fille, mais elle refuse tout secours.

— Et vous l'avez emmenée en Europe pour lui changer les idées? demanda Julie.

— Nous avions fait notre voyage de noces là-bas, en 1950. Mais ce pèlerinage n'a rien changé.

Alain prit la main de Julie et l'entraîna vers une chambre, quelques mètres plus loin.

— Venez que je vous présente la femme de ma vie.

Il s'immobilisa avant d'ouvrir la porte et murmura:

— Sans elle, la vie n'a plus de sens.

En entrant dans la chambre, Julie aperçut une jeune femme penchée sur le lit qui longeait les fenêtres; elle replaçait une couverture. À la vue du docteur, elle vint à sa rencontre.

— Garde Leblanc, je vous présente une amie, Julie. Julie, voici notre bonne âme qui veille sur mon épouse et moi avec patience et dévouement depuis presque neuf mois.

L'infirmière donna une poignée de main chaleureuse à Julie et la prévint à voix basse que madame Dufour avait de la difficulté à parler ce soir. Puis elle se retira dans sa chambre, adjacente à celle des Dufour, en refermant délicatement la porte derrière elle. Ils s'approchèrent du lit où une forme émaciée disparaissait sous les draps. Alain s'assit sur le bord et porta la main de son épouse à ses lèvres. Julie prit place dans le petit fauteuil à côté du lit.

Dodelinant de la tête, madame Dufour émergeait avec peine du flot de tissu qui bouffait autour d'elle. Toute menue et blême, elle cligna des yeux en guise de salutation. L'esquisse d'un sourire sur ses lèvres accrut l'impression de sa fragilité.

— Ma douce, je t'amène Julie, la jeune libraire dont je t'ai parlé et qui a lu tous les livres.

— Ne croyez pas votre mari, madame Dufour, si j'avais lu tous les livres, j'aurais fermé boutique depuis longtemps. Et quelle vie ennuyeuse ce serait!

Madame Dufour tapota alors gentiment la joue de son mari qui dit à Julie:

— Elle veut que vous l'appeliez par son prénom, Suzanne.

— D'accord, Suzanne, je suis très heureuse de vous rencontrer, et je veux que vous soyez à l'aise avec moi. Est-ce que vous préféreriez que je revienne à un autre moment?

La femme au beau visage ridé fit un signe véhément de la tête, elle ne voulait pas. Puis elle posa un index sur ses lèvres et marmonna:

— Fatiguée...

— Alors vous allez vous reposer et m'écouter.

Et en lui faisant un clin d'œil, Julie ajouta:

— Quelle chance! Enfin, une auditrice toute à moi!

Là-dessus, Alain se pencha et embrassa son épouse.

— Ma douce, je vous laisse entre femmes. À tantôt.

Et il glissa la main sur la nuque de Julie avant de s'éloigner. Une fois la porte refermée, Julie sortit de son sac un livre qu'elle montra à Suzanne.

— Vous connaissez ce roman?

Suzanne leva le doigt comme pour se souvenir:

— Études...

— Ah, vous avez étudié ce livre? Au secondaire, je parie?

— 12ᵉ...

— Chez les religieuses?

Suzanne cligna des yeux et, en voulant ajouter autre chose, s'étouffa. Julie releva son oreiller et lui tendit le verre d'eau qui reposait sur la table de chevet.

— Chut! Faisons silence maintenant et laissons-nous bercer par une belle histoire d'amour.

Julie ouvrit son livre, chercha un passage intéressant, puis se mit à lire. Elle lut durant une dizaine de minutes, en jetant de temps à autre un regard sur Suzanne dont l'attention semblait accaparée par la nuit qui s'étalait de l'autre côté des fenêtres.

— Voudriez-vous que je tire les rideaux, Suzanne?

Au «non!» effrayé que la vieille femme émit à cette suggestion, Julie ferma son livre et le posa sur ses genoux. Elle ajouta:

— Je vois que vous n'avez pas peur de la nuit, moi, si.

Suzanne respirait bruyamment. Mais tout aussi oppressée qu'elle se révélait, sa respiration semblait presque détachée de sa personne tant l'éclat des yeux restait brillant. La malade fouilla longtemps dans ceux de Julie avant de lui demander:

— Pourquoi?

— C'est une longue histoire... Vous voyez ce livre? Quand j'ai rencontré mon mari pour la première fois dans un party d'étudiants, j'étais en train de le lire dans mes temps de loisir. Eh bien, j'ai cru que si je gardais ce roman avec moi tout le temps, Bernard — parce que c'est le nom de mon mari — croiserait peut-être mon chemin une seconde fois. Vous savez, j'étais jeune, c'est ma seule excuse pour avoir entretenu une idée aussi saugrenue... Et pourtant, mon souhait s'est bien réalisé!

Suzanne hocha timidement la tête, complice. Julie poursuivit:

— Aujourd'hui, je n'ai plus d'excuse et je voudrais que la magie se répète. Je voudrais que mon mari me revienne comme autrefois, je voudrais que nous soyons heureux comme nous l'avons été les premières années de notre mariage. Ah, bien sûr, mon père était mort depuis peu, et ç'a été dur pour moi, mais j'avais Bernard pour m'aider à traverser ça. Lui et moi, on était indissociables.

La voix de Julie se brisa et elle ferma les yeux.

— Fatiguée? s'informa Suzanne.

— Exténuée, avoua Julie. Je suis perdue dans la nuit et la nuit est interminable.

Elle ouvrit les yeux et pressa le livre contre son cœur.

— Votre mari a dû vous parler un peu de ma... situation?

Suzanne cligna des yeux.

— Alors, vous comprenez... J'aurais voulu que rien ne change. Je croyais que certaines choses étaient acquises pour la vie. Je pensais à nouveau que si deux êtres s'aimaient fort, ils ne pouvaient être séparés.

Le silence du lieu, la vulnérabilité de Suzanne, leur expérience commune de la perte rapprochaient Julie d'elle-même, sans honte ni pudeur. Dans cette chambre, pourquoi faire semblant d'être heureuse? pourquoi se faire accroire qu'il y a encore une issue? pourquoi continuer de se mentir?

— Venez.

Suzanne tapotait la place à côté d'elle.

— Je vous dérangerais, protesta Julie.

Suzanne tapota plus fort. Alors Julie enleva ses chaussures et s'allongea sur le dos, à côté de la femme qui lui prit la main et lui dit:

— Dormez.

— Je ne dors plus que le jour, en travaillant, en faisant mes comptes, en lisant... Le soir tombé, la nuit venue, je reste les yeux ouverts, aux abois.

Suzanne prit une grande respiration et, d'une voix fluette et saccadée, répondit:

— Alors, veillez avec moi.

Une heure s'était écoulée depuis que Julie reposait à côté de Suzanne. Elle se releva discrètement et marcha vers la fenêtre. Elle chercha à voir dans la nuit, mais ses yeux ne parvenaient pas à percer son opacité. Elle se tourna vers Suzanne qui contemplait les ténèbres avec la même obstination que plus tôt.

Julie s'agenouilla à côté du lit.

— Qu'est-ce que vous voyez, vous, dans cette nuit?

Le visage de Suzanne s'assombrit; elle détourna les yeux.

— Pourquoi ne pas m'en parler? Si je savais ce qui vous apaise dans la nuit, peut-être que je m'y ferais un peu. Peut-être que j'apprendrais à l'apprivoiser moi aussi.

À ces mots, Suzanne posa les yeux sur sa compagne. De ses doigts maigres et tremblants, elle caressa longuement ses cheveux. Puis elle pointa le menton vers la commode et fit un signe avec la main. Julie trouva sur le meuble un calepin ouvert. Elle le posa sur la couverture de son roman qu'elle glissa sur les genoux de Suzanne et lui tendit un crayon.

Suzanne écrivait avec autant de difficulté qu'elle respirait. Après quelques minutes, le crayon tomba de ses doigts. Julie prit le calepin et lut à voix haute: «Ceux qui nous ont quittés nous regardent de là.»

— De la nuit? demanda Julie.

Suzanne acquiesça en précisant:

— De l'invisible.

Julie enfouit son visage dans les couvertures. Au bout d'un moment, elle balbutia:

— Merci... Je ne l'oublierai pas.

À son tour, elle caressa les cheveux de Suzanne, puis l'embrassa.

— Revenez, dit Suzanne.

— Demain?

— Après-midi.

— D'accord, répondit Julie, demain après-midi. On se reverra dans la lumière.

— Lumière, répéta Suzanne en écho, avec une lueur dans les yeux plus vive que jamais.

*

Après avoir informé la garde Leblanc de son départ, Julie sortit dans le couloir où elle retrouva la foule habituelle qui hantait les moindres recoins de l'établissement. En ce deuxième jour, ils se surpassaient ceux et celles qui combattaient l'angoisse de leur réclusion en redoublant d'énergie et de gaieté. C'étaient d'étourdissants chassés-croisés de conversations entre les tables, les chambres, les étages. Tout l'hôtel semblait pris d'une folie qui allait croissante, bourdonnante, incessante, folie de contacts, de rapprochements, de communication.

Cette seconde nuit s'avérerait ainsi plus fébrile que la première. On contrôlait de moins en moins son anxiété, et de ce fait, son excitation. Beaucoup de gens éméchés dans le corridor, beaucoup de clins d'œil, d'invitations à on ne savait quoi, de familiarité. Julie n'attendit pas l'ascenseur, elle serait peut-être encore là dans une demi-heure, et visa plutôt les escaliers de secours au bout du corridor.

— Oh! Excusez-moi!

En poussant la porte, Julie avait heurté un couple qui s'enlaçait passionnément sur le palier. Mais les amoureux ne se rendirent compte de rien. Elle grimpa en toute hâte trois étages. Quelques marches encore, et elle se retrouverait dans le couloir du cinquième où se trouvait sa chambre. Soudain la porte donnant sur le palier s'ouvrit avec fracas. Sous l'effet de la surprise, Julie glissa et tomba, le fessier sur une marche de l'escalier.

— Pourquoi me demander ce que je fais ici? gueula l'homme. J'habite à cet étage, O.K.? Alors ne fais pas l'hypocrite!

— Je ne fais pas l'hypocrite! répliqua la femme hors d'elle. Je te demandais ça comme ça, pour qu'on se parle. On ne se parle plus!

— Je n'ai plus envie de te parler! C'est clair?

Julie se redressait au même moment et levait la main pour attirer l'attention du couple, mais en vain. Le couple se disputait de plus belle. Julie se résigna à crier:

— Brigitte! François! Arrêtez-vous!

Quand ils l'aperçurent, elle baissa la voix:

— Je suis là, enfin! Bon, laissez-moi passer! Je dois sortir à cet étage!

Elle fit quelques pas, en évitant de croiser les regards des jeunes gens. Mais la querelle éclata de nouveau avec la remarque cinglante de François:

— Je n'ai rien à cacher, Julie. Cette fille me demande d'où je viens, pourquoi? Moi, je ne lui ai pas demandé si elle venait de la chambre de Tom, même si je l'ai vue par hasard en sortir!

— C'est vrai que je sortais de chez Tom, mais je n'ai pas à en avoir honte. On a parlé comme des amis! Puis quand je t'ai vu, j'ai juste eu envie qu'on se parle à notre tour comme des amis! Je t'ai demandé d'où tu venais comme j'aurais pu te demander n'importe quoi d'autre!

— Excuse-moi, Brigitte, je vais sortir maintenant, trancha Julie avec fermeté et en faisant un autre pas vers la sortie. Tout ça ne me regarde pas.

— C'est parce que ça ne te regarde pas que je veux que tu restes, l'implora la jeune femme. Tu trouves ça normal, toi, que ce gars-là m'engueule parce que je veux simplement lui parler?

— Je ne veux pas me mêler de ça, répéta Julie.

—Tu ne me parles pas, déclara François en pointant un doigt accusateur vers Brigitte, tu ris de moi! tu te moques de moi!

— Jamais je n'ai fait ça! T'es tombé sur la tête ou quoi?

— Et quand je parle de rationnement au souper, tu me réponds que ça sera bon pour la ligne! Aussi bien me dire que je suis gros quant à y être!

— C'est toi qui fais exprès pour entendre tout croche! Combien de fois je t'ai dit que t'as un corps d'athlète, t'as pas de graisse, t'es tout en muscles! Tu le sais, ça! C'est moi qui ai un problème de poids.

— Ouais, ouais, un problème. Maudit, Brigitte, t'es grosse comme un cure-dent! Un peu plus, t'aurais l'air anorexique!

— Bien, c'est ça! Si tu penses que je suis anorexique, tu devrais savoir que j'ai encore des livres à perdre! C'est toi l'hypocrite! Je t'ai toujours dit que t'étais un gars correct, un gars comme on n'en rencontre rarement! Alors pourquoi est-ce que je passerais mon temps à rire de toi?

La voix de Brigitte était enrouée. Sa colère se transformait en un abattement physique et nerveux évident.

— C'est trop dur de voir des gens se déchirer comme ça, dit Julie, je m'en vais!

Elle fonça vers la porte devant laquelle François et Brigitte s'affrontaient, et tenta de les repousser pour sortir.

— Si je suis un gars correct, Brigitte, veux-tu me dire pourquoi tu m'as laissé pour un vieux qui s'intéresse seulement à ton cul?

Brigitte s'appuya contre le mur et se mit à sangloter à fendre l'âme.

— François! s'écria Julie.

La porte qu'elle avait entrouverte se referma doucement. Elle courut vers la jeune femme et posa une main sur son épaule.

— Ça va aller, Brigitte, ça va aller... Il faut cesser de vous faire mal, tous les deux.

En prononçant les derniers mots, Julie avait fixé sur François des yeux pleins de reproche. L'air contrit, ébranlé par la rudesse de son propos, celui-ci s'avança vers les deux femmes.

— Pardonne-moi, Brigitte, pardonne-moi. Tout est de ma faute!

À ces mots, Brigitte sanglota de plus belle.

— C'est de ma faute, reprit François. Tu m'avais bien dit de ne pas m'attacher, que c'était d'ailleurs la seule condition que tu mettais dans tes relations avec les hommes. Et puis je t'avais promis, juré, que je ne m'attacherais pas. C'est de ma faute, je n'ai pas pu tenir parole...

Brigitte se colla à Julie qui essaya de l'apaiser comme elle pouvait.

— C'est vrai, Brigitte, je suis tombé en amour au premier baiser. J'ai menti comme j'ai pu en faisant semblant que c'était simplement une belle aventure, une belle amitié. Je ne voulais pas que tu penses que j'étais une lavette parce que j'étais amoureux fou. Mais c'est quand le vendredi est arrivé...

Brigitte épouvantée se mit à traîner Julie vers l'escalier en criant:

— Je ne veux pas entendre ça! je ne veux pas! Fais-le taire, Julie!

— Brigitte, je suis là. Et François est calme, il ne t'engueulera plus.

La jeune fille se mit les mains sur les oreilles et se pressa plus fortement contre Julie.

— C'est quand tu t'es mise à jouir sous moi, c'est quand tu m'as avoué que tu n'avais jamais joui avec un homme avant d'être avec moi, que pas un homme ne s'était autant occupé de ton plaisir que moi, c'est là que j'ai craqué...

— Tais-toi! Tais-toi!

Brigitte s'était écartée de Julie pour se rapprocher de François dont elle martelait la poitrine à coups de poing en répétant:

— Tais-toi! Tu n'as pas le droit de me faire ça!

François saisit les poignets de Brigitte et, avec tendresse et pondération, murmura:

— Oui, j'ai le droit de ne pas vouloir que tu te détruises, j'ai le droit parce que je t'aime...

— Non! hurla Brigitte.

— Oui, t'as joui toutes les fois qu'on a baisé cette fin de semaine-là et tu m'as parlé de tous les projets qu'on aurait ensemble. Il y en avait même un pour dans trois ans. Mais c'est là que j'ai craqué, c'est là que je t'ai dit que je t'aimais comme je n'avais jamais aimé avant. Et c'est ça que tu n'acceptes pas! T'as couru te jeter au cou du commandant en sachant très bien qu'il ne quitterait jamais sa femme pour toi. C'est vrai que ça m'a fait mal d'être rejeté, mais ce qui me fait plus mal encore, c'est de te voir te mépriser de la sorte...

François avait libéré les poignets de Brigitte qui restait pantelante devant lui.

— Tu m'as quitté le lundi matin. Tu n'as jamais accepté que j'aie pu t'aimer et te faire jouir en même temps.

François sortit.

Brigitte s'effondra sur le plancher.

*

— Je suis horrible, dégoûtante, affreuse!

— Mais non, Brigitte.

— Si, écœurante! Et puis laide, laide!

Après le chapelet d'injures qu'elle s'adressait sans pitié, Brigitte retombait sur le lit, enfouissait son visage dans les draps et pleurait jusqu'à ce qu'un nouveau chapelet d'injures remplaçât le précédent.

François disparu, Julie n'avait pas voulu rester sur le palier et risquer que des étrangers voient Brigitte dans

l'état où elle se trouvait. Avec des mots d'encouragement, elle l'avait aidée à se relever et l'avait conduite
dans sa chambre, située près de la porte de secours. Il
n'y avait pas de danger de croiser Tom ou François car
leurs chambres faisaient face à l'ascenseur, au milieu du
corridor.

Assise au bord du lit depuis plusieurs minutes, Julie
se contentait d'écouter la jeune femme se vider le cœur.
Elle ne put s'empêcher de sourire quand Brigitte se redressa en tirant la peau de son visage avec ses doigts.

— C'est vrai que je suis laide! cria-t-elle. Regarde!
Regarde! Je suis un monstre!

Julie retira du visage encore juvénile les doigts qui
avaient laissé des marques sur sa peau délicate et dit:

— Tu es très belle, mais tu préfères l'ignorer. Les
hommes auront beau se jeter à tes pieds et te le répéter,
ils ne te convaincront jamais. Parce que toi, tu ne t'aimes pas.

— Comment tu sais ça?

Les cheveux en désordre, la mine piteuse, Brigitte
posa sur Julie des yeux ronds comme ceux d'une enfant.

— On vit tous ça à ton âge, qu'on s'appelle Marilyn
Monroe ou Julie Hénault.

— Toi aussi?

Brigitte semblait décontenancée et fit une pause
avant d'ajouter:

— Pourtant, t'avais de l'intelligence et de la culture
pour compenser le reste.

— Taratata! fit Julie, tout en riant sous cape de cette
remarque d'une franchise désarmante. Personne n'est
vraiment content de ce qu'il est. Chacun a une perception aiguë de ses faiblesses ou de ses manques. C'est ce

qui nous pousse à nous améliorer ou à nous perfection-
ner à différents niveaux. Et puis on développe son intelligence comme on développe sa beauté ou sa santé, en
la nourrissant et en la soignant: tous les livres sont à ta
disposition pour répondre à toutes tes questions.

Brigitte renifla après avoir écouté sans bouger, en
adoptant une pose tout à la fois gauche et solennelle.
Julie dénicha des mouchoirs en papier dans son sac et
les lui tendit. La jeune femme se moucha bruyamment,
soupira et joignit les mains entre ses cuisses.

— Je ne veux pas perdre mon autonomie, finit-elle
par dire à voix basse. J'ai vingt-deux ans, j'aime mon
métier, je veux voyager, connaître du monde, n'avoir de
comptes à rendre à personne. Je ne veux pas me retrouver enchaînée dans une maison, sans amis, sans projets,
sans horizon. Je veux vivre ma jeunesse. Je veux être
libre!

— T'as raison!

— Ah, oui? fit Brigitte, étonnée.

— Mais oui, pourquoi? T'en doutais?

— Euh... j'ai cru comprendre, par Shirley, que tu
trouvais bien que sa copine emménage avec son ami.

— Oui, pas toi?

— Cette fille a mon âge!

— Et puis?

— Eh bien... elle avait des tas de projets!

— J'espère bien!

— Mais elle ne pourra plus les réaliser!

— Si elle a eu l'intelligence de choisir un garçon qui
partage ses goûts et ses intérêts, rien ne l'empêchera de
les réaliser. Si elle a choisi un garçon qui ne partage pas
ses points de vue et si elle ne peut pas défendre ses pro-

pres idées, c'est que ses projets n'étaient que de vagues souhaits, sans fondement.

— Tu ne comprends pas, Julie, tu ne comprends pas!

Exaspérée, Brigitte avait frappé le matelas du revers de la main. Elle s'excusa aussitôt en disant:

— Ce n'est pas aussi simple que ça.

— Je sais, Brigitte. La vie, c'est dur et compliqué, mais c'est pour ça qu'il faut travailler fort à l'adoucir et à la simplifier.

— La simplifier, reprit Brigitte en écho.

L'air rêveur, elle jongla avec l'idée. Puis elle demanda:

— Et on commence par quoi pour la simplifier?

— Ah! attends un peu, répondit Julie qui réfléchit quelques secondes. Je crois qu'il faut commencer par se poser la bonne question.

— Qui est?

Julie hésita.

— Si ma question devait t'obliger à mentir, je préférerais que tu ne me répondes pas. D'accord?

Brigitte hocha la tête. Alors Julie demanda:

— Est-ce que tu aimes François?

La jeune fille se jeta sur le côté et cacha son visage dans l'oreiller. Le silence et l'immobilité durèrent un temps indéterminé. Puis une petite voix s'éleva, à moitié étouffée par la taie:

— Épouvantablement.

— Alors à quoi te servirait ta liberté, Brigitte? À le fuir?

Brigitte se dressa brusquement, comme mue par un ressort, et ponctua son énumération de coups de poing sur le matelas:

— Je ne veux pas d'un gars qui me dit quoi faire! Ni comment m'habiller! Ou d'un gars qui me mène par le

bout du nez! Qui m'empêche de voir mes amis! Qui...
qui me fait des crises de jalousie parce que je dîne avec
ma copine au restaurant! Qui ne me quitte pas d'une
semelle! Qui... qui m'engueule parce que ça va mal dans
son travail! Et qui finit un jour par me donner une
raclée pour me montrer qu'il est plus fort que moi! Je ne
veux rien savoir de tout ça!

— Moi non plus, je ne voudrais pas, renchérit Julie.

La sérénité de sa voix fit contraste avec celle de Brigitte qui, cramoisie, haletante, baissa aussitôt les yeux. Sa
colère fit place d'un seul coup à beaucoup d'embarras.

Après un moment, Julie demanda:

— Est-ce que François est autoritaire?

L'esprit ailleurs, Brigitte répondait distraitement:

— Il n'est pas autoritaire, mais il a son franc-parler.

— Il t'interdisait de voir tes amis?

— Il aimait bien qu'on sorte entre amis, j'allais au
cinéma avec mes copines quand je voulais.

— Il t'a... déjà frappée?

— Il ne se laisse pas marcher sur les pieds, mais il ne
ferait pas de mal à une mouche.

Et tout à coup, Brigitte sortit de sa léthargie:

— Pourquoi ces questions bizarres? À quoi veux-tu
en venir?

Julie soupira de soulagement.

— Le portrait de tantôt, ce n'était donc pas celui de
François?

— Mais non! Comment peux-tu penser ça de lui?

Le ton scandalisé et le regard ahuri de Brigitte rassu-
rèrent définitivement Julie.

— Non! non! continua-t-elle avec vivacité, François
a ses défauts, mais il n'est pas violent. Il n'est pas plus

jaloux que moi quand je vois des filles tourner autour de lui. C'est un gars qui sait ce qu'il veut, mais jamais à tes dépens. Et il aime trop les échanges et les discussions pour ne pas être respectueux des opinions des autres, il me l'a souvent dit.

Plus Brigitte parlait de François, plus sa voix s'attendrissait, plus son regard s'alanguissait:

— Le portrait que j'ai fait, c'est celui d'un type avec qui une de mes copines a cohabité il y a quelques années. Personnellement, je n'ai jamais connu de gars comme ça. Et je n'ai jamais connu, non plus, d'homme comme François... En fait, c'est un être extraordinaire.

Elle avait soupesé chaque mot de sa dernière phrase. Ses traits avaient retrouvé leur quiétude.

— Alors, Brigitte, lui rappela Julie, il faut revenir à la case de départ.

— La case de départ? répéta Brigitte.

— Oui, tu voulais savoir par où commencer à simplifier ta vie. Je t'ai posé la question de base.

— Si j'aime François?

— Tu m'as répondu que tu l'aimais épouvantablement.

— C'est vrai, confirma Brigitte en toute simplicité.

— Si le portrait de l'homme que tu crains n'est pas François, alors il faut revenir à la question de l'épouvante.

Estomaquée, Brigitte se laissa tomber sur le dos.

— Si c'est l'épouvante qui me fait agir, alors je suis folle!

Julie s'esclaffa. Toute la tension de la dernière heure s'évanouit dans son rire qui s'avéra contagieux. De petits spasmes commencèrent à secouer le ventre de

Brigitte, puis sa poitrine, enfin elle s'assit pour rire à gorge déployée:

— Moi, épouvantée? C'est complètement fou! J'aime séduire, j'aime conquérir! J'ai eu des dizaines d'amants!

Les femmes rirent jusqu'à ce que Julie se lève du lit et se jette dans le fauteuil tout près, où elle essuya ses larmes.

— Des dizaines d'amants, précisa-t-elle, mais pas un amoureux.

Les femmes cessèrent de rire et se regardèrent franchement, sans faux-semblant. La plus jeune reprit d'une voix où pointait le désespoir:

— Si c'est l'épouvante, je suis folle!

— Mais non, répondit Julie avec douceur. Tout le monde a connu, un jour ou l'autre, la peur d'aimer. La terrible peur d'aimer, de se donner à l'autre et d'accepter le don de l'autre en retour.

— Tu penses? balbutia Brigitte.

Julie se contenta de hocher la tête.

À nouveau le silence, mais suivi d'une transformation radicale de la physionomie de Brigitte dont le regard s'illumina. Un sourire timide, qu'elle semblait adresser à elle-même, donnait à penser qu'elle était absorbée dans ses souvenirs. Elle les partagea avec sa compagne quelques instants plus tard:

— Je n'ai jamais parlé avec un type comme j'ai parlé avec François. De tout et de rien, sans qu'on soit pressés. Il ne m'a pas sauté dessus après notre première sortie, on a fini ça au restaurant pour discuter du film qu'on avait vu. Il voulait savoir ce que j'aimais au cinéma, ce que j'aimais dans la vie en général et même, tu vois...

Brigitte glissa un regard en coulisse vers Julie et ajouta d'une voix incertaine:

— Ce qui me faisait plaisir dans l'amour... il voulait le savoir quand on s'est retrouvés un soir dans sa chambre... Eh bien, tu ne me croiras pas! Je ne le savais pas moi-même!

Brigitte se cacha le visage dans ses mains en gémissant:

— J'ai honte, Julie, tellement honte! C'est vrai ce que François a dit tantôt! Je pense que ça me sécurise d'être avec des hommes mariés ou qui m'aiment juste pour...

Elle laissa la phrase en suspens, puis continua:

— Parce que je peux les quitter quand je veux. Ils ne me demandent pas mon opinion, mais je ne voudrais pas la leur donner de toute manière. J'aime mieux les laisser faire à leur tête, au moins je peux gueuler contre eux quand ça tourne mal... C'est horrible, hein?

— Non, c'est humain... Mais est-ce que tu penses vraiment être plus libre avec un gars parce que tu ne l'aimes pas? parce que tu verrouilles ton cœur et ton corps en sa présence?

Brigitte ne répondit pas tout de suite. Mais quand elle s'apprêta à le faire, un coup retentit brusquement à la porte. Dans un état proche de la panique, elle s'enfuit vers la salle de bains en criant:

— Si c'est lui, je ne veux pas le voir! je ne veux pas!

Et elle claqua la porte derrière elle. Julie se dirigea vers celle donnant sur le couloir.

À peine Julie avait-elle ouvert, que des bras se pendaient à son cou et qu'une grosse bise résonnait sur sa joue. Puis une jeune femme recula et tourna sur elle-même sous les yeux de Julie qui s'exclama:

— Shirley, tu es ravissante!

Moulée dans une robe de soirée du dernier cri, Shirley serra la main de Julie, toute heureuse de l'effet produit, et dirigea ensuite son regard vers la porte entrebâillée.

— Simon, tu peux entrer.

L'air fier, le jeune homme apparut sur le seuil.

— On a une chose importante à te dire, Julie, déclara Shirley avec solennité. Je voulais que tu sois la première à l'apprendre!

Soudain, un bruit attira l'attention des nouveaux venus. À l'apparition de Brigitte qui ressortait de la salle de bains, Shirley cacha mal sa déception:

— Ah, c'est toi! Je ne savais pas que tu étais là.

— Entrez, dit Julie que la mine rassérénée de Brigitte tranquillisa. Venez vous joindre à nous, ça nous ferait plaisir.

— Bah! on se reprendra une autre fois, répondit Shirley. On ne voudrait pas interrompre...

— De toute façon, lança Brigitte, je m'en allais d'ici quelques minutes.

Elle s'approcha du lit sur lequel elle s'assit en affectant insouciance et bonne humeur. Devant l'indécision de ses amis, elle insista:

— Restez pas là comme des piquets! Mon Dieu, Shirley, qu'est-ce qui se passe? Je ne t'ai jamais vue arrangée comme ça. Où t'as déniché une robe pareille?

— À Paris, il y a trois jours, un coup de foudre! Comme une prémonition!

— Une prémonition? s'étonna Brigitte sans comprendre.

Plus mal à l'aise que Simon qui entra sans se faire davantage prier, Shirley changea aussitôt de sujet et ajouta qu'après le départ de Julie et de Brigitte de la salle à manger, la direction de l'hôtel avait annoncé une soirée de danse à partir de vingt-trois heures.

— Les routes sont donc complètement déblayées? s'écria Brigitte avec un grand sourire, en laissant une place à Shirley sur le couvre-lit, à côté d'elle.

— Pas complètement, répondit Simon. Le groupe de musiciens a quand même eu de la difficulté à se rendre jusqu'ici. Mais on peut espérer que demain, tout rentrera dans l'ordre.

Brigitte bondit sur ses pieds et sautilla sur place en applaudissant:

— Youpi! On va être libres! On va être libres!

Puis elle s'agenouilla devant Shirley et, les bras ouverts, volontairement emphatique, déclara:

— Ô ma belle amie, allons fêter notre nouvelle liberté au Mexique!

Devant le silence de sa belle amie, Brigitte lui glissa en aparté:

— Tu ne te rappelles pas qu'on prend nos vacances en même temps ce printemps?... Allons! Fuyons ensemble vers des ciels plus cléments!

Shirley resta de glace. Brigitte se releva en posant ses mains sur ses hanches.

— C'est supposé être drôle, tu sais, pas tragique! Tu ne seras pas en vacances dans deux semaines?

— Ah oui! euh... non, pas vraiment! bafouilla Shirley. En fait, je voulais vous dire à toutes les deux que... je ne travaillerai plus comme hôtesse à partir de la semaine prochaine.

Shirley contempla Simon avant de se tourner vers Julie calée dans son fauteuil et d'ajouter, sans oser regarder Brigitte:

— Avec nos économies, Simon et moi avons décidé de nous installer à la campagne dès notre retour au Québec.

Julie pressa ses mains l'une contre l'autre en signe d'encouragement et les félicita:

— Je suis sûre que vous allez être heureux.

Brigitte marqua sa désapprobation avec colère, mais l'eau qui brillait dans ses yeux trahissait davantage sa détresse:

— Non, tu vas rater ta vie! Tout ça, c'est de la merde!

Simon s'opposa en quelques mots, mais Brigitte le fit taire brutalement:

— Tu ne m'empêcheras pas de parler à ma meilleure amie! Elle n'est pas encore ta femme à ce que je sache!

— Brigitte, je t'en prie, implora Shirley. J'aime Simon.

— Je sais et je l'aime aussi, comme un frère! Mais c'est à toi que je parle, Shirley... Comment peux-tu abandonner les rêves qu'on a caressés ensemble ces dernières années? nos rêves de voyages, de rencontres, d'exotisme? Comment peux-tu partir avec le premier homme qui entre dans ta vie? Dans nos périples, t'aurais pu en avoir des dizaines d'autres à tes pieds.

Shirley se leva du lit où elle était restée assise et se rapprocha de son amoureux en disant:

— Je ne veux pas de tous ces hommes, je veux juste Simon.

— Il n'y a pas si longtemps, tu me disais que tu aimerais visiter l'Orient, et puis...

— Non, Brigitte, je ne t'ai pas dit ça. C'est toi qui m'as montré des images dans un livre en me disant qu'il n'y avait pas une personne au monde qui n'avait rêvé un jour d'aller là-bas. Je ne faisais que t'écouter.

— T'étais toujours d'accord avec moi quand je parlais de...

— Brigitte, tu ne m'écoutais pas quand je te disais combien je m'ennuyais de ma campagne natale, combien je désirais y retourner.

— Tu ne m'as jamais dit ça!

— Mais si, sauf que t'entendais seulement ce qui faisait ton affaire.

— Non, c'est pas...

— Je t'en prie, ne me laisse pas tomber, toi aussi, comme ma mère.

— Tu mens...

— Je dis la vérité, Brigitte. Tu es ma meilleure amie, mais je suis différente de toi et ça, tu n'as jamais voulu le voir.

Le visage marqué par une expression croissante d'incrédulité, Brigitte reculait vers la sortie.

— Tu vois, Julie, ce que l'amour fait des gens? Il les rend méconnaissables. Et ce que je ne pardonne pas à l'amour, c'est qu'il tue les grandes amitiés.

— C'est faux, déclara Shirley qui essayait de garder son sang-froid.

Julie quitta son fauteuil et se dirigea vers Brigitte.

— Non, ne t'approche pas! lui dit la jeune femme avec agressivité. Avec tes airs de connaisseuse qui veut aider tout le monde, t'en sais pas plus que moi, au fond! C'est peut-être vrai que je ne comprends pas grand-chose et que j'en veux à bien du monde! Mais peux-tu me dire pourquoi, si ton mariage à toi est une réussite, pourquoi j'ai jamais croisé quelqu'un avec un regard aussi triste que le tien? C'est à ça que mène l'amour? À éteindre la joie dans les yeux!

— Brigitte, murmura Julie en tendant la main.

— Non, pas avant que tu répondes à ma question! C'est à mon tour! Et je ne veux pas que tu me répondes si c'est pour me mentir, O.K.? Alors, dis-moi. Est-ce que t'es heureuse avec ton mari? vraiment heureuse?

Surprise par la question, Julie resta sans voix.

— Alors, toi aussi, Julie! Toi aussi, l'amour t'a détruite! Merde!

Et Brigitte disparut en coup de vent. Julie retourna vers les amoureux qui se tenaient enlacés, et s'écroula dans son fauteuil. Shirley brisa le silence:

— Ne t'en fais pas pour Brigitte, elle ne pensait pas vraiment ce qu'elle disait. Quand elle s'emporte...

Puis elle laissa éclater sa peine:

— J'ai perdu ma seule amie, Simon! Ma seule vraie amie!

Et tandis que Simon consolait sa bien-aimée, Julie pensa que Brigitte avait bien eu raison de se fâcher contre elle. Car être amoureux et être heureux sont des choses différentes qui ne se conjuguent pas nécessairement ensemble. Julie avait oublié de le mentionner durant leur entretien. Et cette omission était effectivement impardonnable.

CHAPITRE 7

Un bruit feutré détourna l'attention de Julie du roman qu'elle lisait: on glissait une lettre sous la porte. Brigitte! C'était Brigitte revenue à de meilleurs sentiments! Elle repoussa la couverture de ses genoux, s'arracha du fauteuil et courut ouvrir. Quelle ne fut pas sa surprise de se retrouver face à face avec Tom, frais rasé et habillé, à six heures du matin!

Avec rapidité, il enleva ses verres fumés et, d'un geste aussi vif, Julie posa une main sur le décolleté de sa robe de nuit. Quelques secondes de gêne réciproque leur enleva les mots de la bouche; puis ils se mirent à parler en même temps, ce qui les fit se taire aussitôt avec un synchronisme parfait. Finalement, Tom bégaya quelques excuses et s'expliqua aussi maladroitement:

— Je n'ai pas dormi de la nuit, enfin... je veux dire que j'ai dû travailler une bonne partie de la nuit sur mon scénario... je viens d'aller chercher du café et en passant devant votre chambre, j'ai pensé vous demander à quelle heure vous descendriez déjeuner ou plutôt... je vous ai posé la question dans la lettre que j'ai glissée sous votre porte... parce que je ne savais pas à quelle heure vous alliez vous réveiller.

— Il ne faut pas m'attendre, je n'irai pas déjeuner, répondit Julie d'un ton sec.

Tom acquiesça d'un signe de tête, mais ne bougea pas, s'attendant visiblement à ce qu'elle poursuive sa phrase. Elle n'ajouta pas un mot.

— Ce sera pour une autre fois alors, dit-il en dissimulant mal sa contrariété d'un clin d'œil amical.

Julie referma la porte et s'appuya contre le mur, les yeux clos, les joues en feu, le cœur battant la chamade. Le choc était grand. En une fraction de seconde, le souvenir du souper de la veille lui revint à l'esprit, avec exactitude et minutie, même si le souvenir semblait dater d'un passé lointain. D'un passé aussi distant, pensa-t-elle, que la distance qu'elle avait espéré mettre entre Tom et elle.

Elle arpenta la chambre nerveusement, se laissa choir dans le fauteuil, décrocha le combiné et signala son numéro de téléphone à Montréal. Peine perdue. Depuis une heure, les lignes téléphoniques étaient rétablies, mais surchargées. Il se pourrait qu'elle ne puisse rejoindre Bernard avant la fin de la journée; c'est du moins ce que la téléphoniste de l'hôtel lui avait laissé entendre.

Tom! Elle bondit de son siège à la pensée de Tom. Quelle impolitesse, cette réponse froide et sèche à son invitation! Que penserait-il d'elle? Un sentiment de honte l'envahit. Elle enfila sa robe de chambre, glissa un châle sur ses épaules et se dirigea vers la porte. Au contact de la poignée, elle s'immobilisa. Mais n'était-il pas mieux qu'il en soit ainsi? Si son impolitesse devait mettre un terme au malaise et à la confusion qu'elle avait ressentis en sa compagnie durant les dernières heures, hier? Elle hésita encore... puis tourna la poignée énergiquement et sortit.

Malgré l'heure matinale, il y avait déjà un va-et-vient important dans le corridor. En ce troisième jour, les voyageurs étaient à bout de patience. Plus approchait le moment de la libération, plus l'attente s'avérait insupportable. L'insomnie semblait aussi avoir été le lot de la douzaine de personnes que Julie croisa avant d'atteindre la chambre de Tom. Aux visages fardés et aux humeurs gaillardes de la veille se substituaient des yeux cernés et des mines soucieuses.

Elle frappa à la porte, et Tom apparut sur le seuil. Tout surpris qu'il fût, il esquissa un sourire qui se voulait naturel, et Julie le lui rendit avec le même effort de simplicité. Puis elle s'empressa de se justifier:

— Brigitte et moi avons eu une discussion animée hier, en fin de soirée, et j'ai pensé que c'était elle qui me glissait un mot sous la porte. Alors, j'ai été prise de court en vous voyant, je regrette.

— On aurait dit que vous veniez d'apercevoir un revenant... C'est vrai que je vous tirais probablement du sommeil.

— Pas du tout, je n'ai pas dormi de la nuit!... Enfin, j'essaie de joindre mon mari par téléphone depuis cinq heures... et je n'ai pas vraiment faim. J'ai besoin aussi de me retrouver un peu... Mais je tenais à vous remercier de l'invitation à déjeuner, c'était très aimable de votre part.

Julie s'éloigna d'un pas rapide sans laisser à Tom le temps de répondre. Une fois dans sa chambre, elle soupira de soulagement. Voilà, elle avait réparé sa faute envers Tom; quant à son devoir... elle ne quitterait pas sa chambre avant d'avoir parlé à son mari. Elle vit devant elle sa journée planifiée à la minute près. Prétextant une indisposition, elle téléphonerait à Shirley pour lui demander de lui apporter quelques sandwichs. Il y avait bien une visite à rendre à madame Dufour en après-midi, mais cette rencontre serait brève vu l'état de santé de la vieille dame. Autrement, rien n'interromprait la vigie à côté du téléphone que Julie avait entreprise au petit matin.

Maintenant tout lui semblait clair et facile. Pourtant, quand elle enleva son châle, on aurait dit qu'il pesait une tonne au bout de son bras. Elle ramassa la lettre à ses pieds et d'un pas traînant marcha vers le fauteuil dans lequel elle s'affaissa.

Sa seule consolation restait cette conviction que d'ici quelques heures, elle rentrerait chez elle et reprendrait sa vie de libraire dans sa ville natale, près de l'homme de sa vie. Elle aurait déjà tout oublié de la mésaventure de cette tempête de neige. Elle ne se rappellerait pas plus la couleur des murs de sa chambre d'hôtel, que la blondeur des cheveux de Brigitte, le teint blafard de Suzanne, les taches de rousseur de Shirley ou... les yeux verts de Tom. Tout s'effaçait avec le temps, les rêves de jeunesse comme la couleur des choses et des êtres.

Perdue dans ses pensées, elle sursauta au coup frappé à la porte et cacha la lettre dans son livre. Sur le seuil, Tom qui la dévisageait la fit rougir violemment. Elle prit quelques secondes avant de réaliser qu'il lui tendait une tasse de café:

— J'ai pensé que ça vous ferait du bien.

— Merci, bafouilla-t-elle, merci beaucoup.

— J'ai une cafetière pleine dans ma chambre. Moi aussi, je n'aurai pas le temps de déjeuner; je dois continuer de travailler.

Après le départ de Tom, Julie retourna s'asseoir et décrocha la ligne pour la énième fois... Un peu plus tard, une crampe dans l'estomac la tira de sa veille fébrile près du téléphone. Sa tasse était vide. Le cadran indiquait sept heures quarante.

Julie s'habilla lentement en pensant qu'il lui restait encore énormément de temps à tuer, qu'elle réussirait, c'est certain, mais que ce serait plus ardu qu'elle ne l'avait escompté. Ses tentatives d'appel infructueuses l'avaient absorbée durant une centaine de minutes. Pourtant elle espérait presque que cet échec se répète jusqu'à son embarquement dans l'avion, car il lui permettrait d'occuper les heures sans changer de manière, sans se poser de questions. Et elle n'avait plus assez d'imagination pour trouver d'alternative à cette activité des plus désespérantes. Mais sa tasse était vide...

Elle frappa à la porte de la chambre de Tom. Aussi peu surpris qu'il fût cette fois, il fit pourtant paraître un certain étonnement, et Julie qui vit dans son jeu fit semblant de ne s'apercevoir de rien.

— Je me demandais si je pouvais avoir une deuxième tasse de café, dit-elle.

— Certainement, entrez.

Pas beaucoup plus grande que la sienne, la chambre de Tom offrait cependant un avantage non négligeable: dans le coin gauche de la pièce, près de la fenêtre, deux fauteuils se tassaient autour d'une table ronde sur laquelle était posée une cafetière. Au moment où elle le remarquait, Tom l'invita à s'asseoir.

— Vous avez un peu de temps? demanda-t-il.

— Non, pas vraiment, et je ne voudrais pas vous empêcher de travailler.

— Sortir de ma corvée ne pourrait que me faire du bien.

— C'est que je veux rejoindre mon mari avant...

— Alors je remplis votre tasse et vous libère au plus vite.

Devant la politesse et la célérité de Tom qui s'élança vers la cafetière, la tasse à la main, Julie ne put qu'ajouter:

— Mais je crois, moi aussi, que sortir de mes... préoccupations ne peut que me faire du bien.

Tom accueillit cette phrase avec un sourire si éclatant et si inhabituel que Julie regretta aussitôt sa décision. Elle recula instinctivement. Mais il lui rapporta sa tasse et l'invita à nouveau à s'asseoir avec une telle cordialité qu'elle n'osa partir tout de suite. Elle resta debout près de la porte tandis qu'à son tour, il se servait. Et à cause de l'exiguïté du lieu, ils se retrouvèrent de chaque côté du lit, buvant leur café à petites gorgées, à court de mots et d'idées durant quelques minutes. Puis, au grand soulagement de Julie, Tom dit:

— Ah, vous tombez bien! Je crois que j'ai un léger problème... ou plutôt, que je viens peut-être d'en résoudre un.

— Ah oui?

— Voilà, après vous avoir offert un café tantôt, j'ai reçu un coup de fil de Brigitte. Vous savez, j'ai passé une partie de la soirée d'hier avec elle, juste après votre départ avec le docteur.

Tom s'éclaircit la voix en prononçant les derniers mots. Puis il reprit:

— J'ai adopté en quelque sorte votre point de vue sur elle, et j'ai découvert une jeune femme avec qui la conversation peut être agréable. Elle voulait voir sur quoi je travaillais actuellement. Je l'ai amenée ici et lui ai montré le scénario. On a jasé à peu près une heure de tout et de rien, et puis elle est partie. Ç'avait été une soirée tranquille, paisible, c'est ce qui m'a semblé du moins.

— Qu'est-ce que vous voulez dire?

— Eh bien, il y a à peine une demi-heure, elle m'a téléphoné pour me dire de ne rien attendre d'elle et qu'elle espérait de tout cœur que je l'oublierais vite! Et là-dessus, elle m'a raccroché au nez.

Incertitude et incompréhension se lurent sur le visage de Julie, et Tom ajouta:

— Moi aussi, j'ai réagi comme vous, je ne savais pas quoi penser! D'abord, j'ai douté de moi. Je veux dire que je me suis sérieusement demandé si... si le fait que je ne suis pas un homme heureux... avec ma compagne... pouvait se traduire dans mes manières avec les autres femmes. Je veux dire... Est-ce qu'à mon insu, je pourrais faire entendre aux femmes des sentiments que je ne ressens pas pour elles, mais qui...

Tom s'interrompit au milieu de sa phrase.

— Vous êtes blême, Julie, ça ne va pas?

— C'est la fatigue, l'insomnie, balbutia-t-elle, ou la faim peut-être.

Tom se dirigea vers la table ronde et découvrit un plat qu'une serviette blanche cachait au regard.

— Servez-vous, les croissants sont bons.

Julie fit le tour du lit et s'assit dans le premier fauteuil à sa portée. Tom recula dans l'étroit passage entre le lit et la fenêtre et, une épaule appuyée contre le mur, regarda dehors. Au bout d'un moment, il demanda:

— Est-ce que ça vous est déjà arrivé?

— Oui, oui, fit-elle en avalant une bouchée, j'ai l'habitude de ces malaises. C'est passé.

— Non, je parle de Brigitte... Avez-vous déjà eu le sentiment d'avoir éveillé chez un homme un sentiment qu'il n'était pas dans votre intention de faire naître?

— Ah!...

Si sa faiblesse momentanée avait fait perdre à Julie le fil de la discussion, elle constata à son déplaisir qu'il n'en était pas de même pour Tom. Elle déposa son croissant dans l'assiette et s'essuya nerveusement les doigts avec une serviette de table. Elle demanda sans lever les yeux:

— Voulez-vous dire que j'aurais agi volontairement dans ce but ou... que la situation serait survenue accidentellement?

— L'un ou l'autre.

— Eh bien... je ne sais pas... enfin, non, dans le premier cas, je ne crois pas avoir jamais agi volontairement dans le but d'abuser un homme. Et dans le second cas, peut-être que oui... J'ai déjà craint d'avoir provoqué chez quelqu'un une émotion que je ne partageais d'aucune manière.

— Vous étiez sûre de ne pas partager cette émotion?

— Oui.

— Vous n'avez jamais pensé que cet homme avait pu répondre à... une sorte d'appel en vous... que vous-même n'entendiez pas encore?

Julie ne répondit pas tout de suite. Son regard errait sur divers objets, puis revenait à la serviette de table entre ses mains. Quand elle prit la parole, sa voix tremblait imperceptiblement.

— C'est sûr que cette pensée a pu m'effleurer l'esprit. Il y a tellement de choses qui peuvent nous échapper inconsciemment.

— Mais supposons qu'il y a eu cette sorte d'appel inconscient de votre part... comment pouvez-vous affirmer alors que vous ne partagiez d'aucune manière l'émotion de cet homme?

— Parce que je le sais, trancha-t-elle. Rêver de certaines choses n'implique absolument pas qu'on veuille les réaliser.

— C'est vrai, mais vous ne pouvez plus qualifier d'accidentelle la réponse émotionnelle d'un homme qui a perçu votre rêve... parce qu'il y avait peut-être en même temps reconnu le sien.

— Vous avez raison, concéda-t-elle, ce n'est pas un accident, mais ce n'est pas non plus une tromperie. C'est juste une... une...

Julie cherchait un mot, mais Tom acheva sa phrase pour elle:

— Une rencontre capitale qui n'aura pas lieu.

Elle se leva aussitôt en déclarant qu'elle devait retourner à sa chambre, et essayer à nouveau de joindre son mari par téléphone.

— Vous ne voulez pas savoir comment ça s'est terminé avec Brigitte?

— Mais oui, excusez-moi! Je ne sais pas où j'ai la tête!

Julie se rassit en s'efforçant de maîtriser son agitation.

— Eh bien, après avoir douté de moi dans un premier temps, dans un second temps je me suis absous de tout blâme. J'ai revu le déroulement de la soirée, mes moindres gestes ou paroles, et je n'y trouvais rien pour nourrir l'imagination romantique d'une jeune femme. Alors je lui ai retourné son appel et je lui ai dit: «Je regrette, Brigitte, si je vous déçois, mais je me dois d'être honnête envers vous et juste envers moi-même. Je n'ai jamais éprouvé d'attirance pour vous et c'est strictement sous le signe de l'amitié que la soirée d'hier s'est déroulée.»

— Comment a-t-elle réagi? s'informa-t-elle.

— Avec une maturité qui m'a surpris. Elle s'est excusée de sa méprise en disant quelque chose du genre: je réduis souvent l'amitié des uns au désir et l'amour des autres à la camaraderie. Je me souviens clairement de sa dernière phrase: «Quelqu'un m'a appris que c'est une façon d'avoir peur de ses sentiments.»

Julie soupira intérieurement. Elle ne s'était pas trompée sur Brigitte, c'était une fille solide qui retrouverait un jour le chemin vers son propre cœur. Mais si elle s'était moins trompée sur Brigitte que sur elle-même? Elle chassa ce doute en demandant avec une pointe d'ironie:

— Comment pouviez-vous être si sûr que votre non-attirance pour Brigitte vous avait protégé de gestes de séduction à son égard?

— Je vous répondrais si les circonstances le permettaient, mais c'est impossible actuellement.

Le mystère que Tom laissa planer autour de cette réponse la plaça à nouveau dans une situation inconfortable. Elle termina son café dans un mouvement d'impatience.

— Si je vous donne un coup de main, vous tiendrez le coup jusqu'à... disons... huit heures trente? s'enquit Tom en regardant sa montre.

La question fit rire Julie qui commenta, espiègle:

—Vous lisez sur les visages aussi bien que vous percevez vos personnages sur le papier?

— Parfois, surtout les visages qui m'intriguent.

Julie ferma les yeux et demanda, pour jouer:

— Alors, que lisez-vous sur mon visage?

— Un désir de terminer notre entretien au plus tôt, de vous mettre à l'abri des autres, de fuir ma présence.

Aux derniers mots, elle ouvrit les yeux et croisa le regard de Tom, assis sur le bord du lit. Il ne tenait pas à jouer le jeu.

— Je voudrais vous connaître mieux, dit-il avec gravité. Est-ce interdit?

— Il y a des choses dont je ne veux pas parler, répondit-elle avec la même inflexion grave de la voix.

— Je sais, et vous n'en parlerez pas si vous ne voulez pas. Mais pourquoi ne pas tout simplement devenir amis? Il y a tellement peu de temps qui nous reste... Regardez.

Tom pointa un doigt vers la fenêtre. Julie se leva et s'accouda sur le bord.

— Regardez à quelle vitesse on déblaie la neige, continua-t-il. En allant chercher le café tantôt, j'ai entendu un employé dire qu'on pourrait peut-être embarquer ce soir.

— Ce soir?

Le cri du cœur, teinté de déception, échappa à Julie qui reprit aussitôt, d'une voix posée:

— Je croyais qu'on nous donnerait au moins un jour d'avis pour préparer nos bagages.

Elle se rassit et, à sa grande surprise, se sentit remarquablement légère. Toutes ses résolutions de la nuit s'étaient évaporées. «Tellement peu de temps qui nous reste», avait-il dit. Ces mots, qui résonnaient encore à ses oreilles, la libéraient de l'obscure menace qui pesait sur elle depuis la nuit. Oui, pourquoi ne pas profiter de ces dernières heures avec un «ami» puisqu'elle ne le reverrait plus jamais? Puisque demain serait un autre jour, un autre décor, une autre histoire dont il ne ferait aucunement partie. Dans le temps qui reste, pourquoi se débattre encore?

Et tandis que Tom contemplait le paysage par la fenêtre, Julie put admirer enfin, en toute tranquillité d'esprit, son visage viril aux traits réguliers, son corps souple et svelte dont émanait une grande force de volonté. Il n'avait pas l'impétuosité de François, ni l'exubérance de Simon, ni l'arrogance de Gérard, mais l'intensité des passionnés, fascinés par ce qui les dépasse dans leur vie ou dans leur art. Cet homme, elle en était sûre, n'avait jamais baissé les bras. Il avait fait de sa vie une quête, une marche perpétuelle et non un piétinement sur place. Car il était de cette race des chercheurs.

— Vous ne portez pas vos verres fumés en privé, dit-elle.

Sa phrase n'était pas tant une interrogation qu'une constatation. Il se contenta de répondre:

— Jamais seul, souvent avec ma compagne. Mais pourquoi le ferais-je avec vous?

Et se tournant vers Julie, il ajouta:

— Aurais-je besoin de me protéger avec vous?

Elle fit signe que non de la tête. Il conclut:

— Eh bien, ça, je l'ai su très tôt.

Dans le temps qui reste, pensa-t-elle, lui non plus n'aurait plus à lutter. Et elle accepta cette dernière parole d'amitié sans fausse honte, en ne cachant pas le plaisir qu'elle lui faisait. Alors, elle dit d'une voix claire:

— En sachant que le temps nous est compté et que l'on ne se reverra plus jamais...

Elle fit une pause, le temps qu'il acquiesce d'un battement de paupières à ce qu'elle venait de dire.

— Eh bien, poursuivit-elle, en sachant ça, moi aussi j'ai envie de vous connaître mieux... J'ai terriblement envie que vous me parliez de vous.

L'appréhension de Tom fit place à un grand éclat de joie que traduisit une remarque allègre:

— Ouf! Par où je commence?

Il passa une main dans ses cheveux, visiblement débordé par la tâche et secoué par le retournement de situation:

— Vraiment, je ne sais pas... J'ai l'impression tout à coup d'avoir un blanc de mémoire.

— Pourquoi ne pas me parler de votre scénario de film?

La question parut soulager Tom, presque le tirer d'un mauvais pas, et il aborda le sujet avec enthousiasme.

— En fait ce n'est pas un scénario de film sur lequel je travaille, c'est une pièce de théâtre. C'est que j'ai la mauvaise habitude d'appeler scénario toute intrigue jetée sur papier...

Et alors que Julie s'attendait à être emportée en pays inconnu, dans le monde exotique du cinéma, avec ses stars, ses guerres larvées entre réalisateurs et producteurs, et ses millions, elle se trouva ramenée dans son territoire à elle, chez elle, dans ses livres. Car durant les premières années de sa carrière, Tom n'avait fait que du théâtre. Même dans ses années de célébrité au cinéma, il était monté régulièrement sur les planches. Et au cours des dernières années, il était retourné presque totalement à ses premières amours: la scène, avec ses répétitions, le trac fou avant le lever du rideau et le contact direct avec le public.

Les pièces que Tom avait jouées, Julie les avait lues; les auteurs dramatiques qu'il affectionnait, elle les adorait. L'étrangeté du monde dans lequel Julie s'était attendue à voir évoluer Tom n'existait pas; c'était la parenté de leurs mondes intérieurs respectifs qui s'avérait d'une étrangeté inattendue. Ils partageaient le même amour des mots et des maximes dont leurs auteurs favoris avaient accouché, la même passion pour ces univers de fiction qui révélaient la grandeur et la misère de la nature humaine. Ils échangeaient sur tel ou tel personnage qu'ils avaient croisés dans leurs lectures et s'amusaient à tisser à l'un ou l'autre un avenir que leur auteur n'avait pas jugé bon de laisser à la postérité.

Au moment de sceller le destin d'une de leurs fort nombreuses connaissances, la sonnerie du téléphone retentit. D'un mouvement agacé, Tom saisit le combiné:

— Allô?... Non, je ne sais pas où elle est... Oui, je n'y manquerai pas... Comment?

À la dernière exclamation, Tom regarda sa montre, puis ajouta:

— Bon, dans une quinzaine de minutes alors... Oui, oui, si je la vois... À tantôt!

Il s'assit sur le bord du lit, l'air incrédule.

— Ça ne va pas? s'enquit Julie.

— Il est midi trente.

Ni l'un ni l'autre ne surent quoi dire pendant quelques secondes.

— Mais on vient tout juste... murmura-t-elle, sans terminer sa phrase.

Puis elle ajouta, d'une voix étonnée, comme pour elle-même:

— Qu'est-ce qui s'est passé?

— Le temps, conclut-il. Ce qui s'est passé, c'est le temps.

Devant l'accablement de Tom, Julie sentit l'urgence d'adopter une attitude contraire. Elle se leva, défroissa sa jupe tout en lançant avec un rire forcé:

— J'imagine qu'il faut bien manger à un moment donné. C'était Alain?

La question obligea Tom à sortir de ses pensées et à se lever à son tour:

— C'était Shirley. Elle te cherchait. Je ne lui ai pas dit que tu étais ici... C'est une erreur?

Julie hésita, mal à l'aise. Oui, la «cachotterie» conférait de l'ambiguïté à une situation qui en était dépourvue, du moins à ses yeux. L'était-elle aussi aux yeux de Tom? Mais ce qui la dérangeait davantage, c'était ce tutoiement subit qu'il ne semblait pas avoir remarqué.

— Tu crois que c'est une erreur? répéta-t-il.

— Non... tu as fait ce qui t'a semblé le mieux.

C'est en entendant Julie que Tom se rendit compte du ton nouveau, familier, qu'il avait imprimé à leur conversation.

— Tu préfères qu'on se vouvoie, Julie?

Elle haussa les épaules.

— Le pari de l'amitié, c'est celui de la spontanéité, non?

*

Dans les couloirs de l'hôtel, Tom et Julie marchaient en silence. C'était ce silence qui frappait Julie, silence serein, paisible, exempt de gêne. Même la veille, aucun d'eux n'aurait pu marcher à côté de l'autre sans se sentir obligé de parler, quitte à émettre quelques commentaires des plus banals sur un ou deux sujets d'actualité.

Dans l'ascenseur bondé, tous bavardaient ou s'interpellaient à voix forte ou criarde. Eux gardaient le silence comme le bien le plus précieux qui ait pu se trouver sur terre. Placés face à face, mais séparés par la foule, ils se regardaient dans les yeux sans chercher à détourner la tête ou à baisser les paupières. Tom ne portait pas ses verres fumés et les regards indiscrets de certains ne l'incommodaient plus. Julie qui manquait d'air habituellement dans les foules respirait sans peine.

Même en entrant dans la salle à manger, même en approchant de leur table, ils n'échangèrent pas un mot. Comme si l'essentiel avait été dit et qu'ils n'avaient plus qu'à faire confiance à leur instinct. Rien n'était plus laissé à la tyrannie du hasard, des circonstances ou de l'étiquette. Combien leur restait-il d'heures de liberté commune? ils l'ignoraient, mais ils savaient qu'ils passeraient ces dernières heures ensemble.

En apercevant Julie, Shirley lui tira automatiquement une chaise à côté d'elle. C'est avec bonheur que la libraire retrouva sa jeune amie et la serra dans ses bras:

— Est-ce que ça va, toi?

Shirley répondit par la négative:

— Elle ne veut plus me parler. Je lui ai téléphoné ce matin parce qu'elle n'était pas venue déjeuner, et elle m'a demandé de la laisser seule. Elle m'a dit: «Je ne me sens pas bien.»

Les yeux de la jeune femme étaient humides, les commissures de ses lèvres tremblaient. Après une grande respiration, elle continua à voix basse:

— Elle n'est pas venue à midi non plus, et Alain est allé à sa chambre pour voir ce qui se passe.

Julie posa une main sur l'épaule de Shirley en guise d'encouragement, puis elle salua les autres convives. Après une phrase de bienvenue, aimable mais impersonnelle, Gérard plongea le nez dans son assiette. À l'évidence, il ne prévoyait pas laisser sa place au bout de la table d'ici son départ, ni laisser le sort de Brigitte le déranger dans ses habitudes. À sa droite, Simon, qui serrait régulièrement la main de Shirley dans la sienne, l'accueillit d'un «bonjour» terne où pointait une note d'inquiétude pour sa dulcinée. À la gauche de Gérard, un siège vide. De l'autre côté de ce siège, François, plus taciturne que d'habitude, lui fit un signe de tête. Tous avaient une mine préoccupée, à part Tom, assis devant elle, qui lui adressa un sourire chaud et complice:

— Je vais me placer dans la file.

— D'accord, je te rejoins tantôt.

Shirley picorait des miettes dans son assiette. Quand une larme glissa sur sa joue, Simon lui tendit une serviette de table dans laquelle elle se moucha bruyamment. Elle ne voulait pas que Julie s'éloigne.

— Et si elle était gravement malade? lui dit-elle d'une voix tourmentée.

François blêmit à cette question et dévisagea les deux femmes à tour de rôle.

— C'est impossible, Shirley, on a été les dernières à la voir hier soir, et elle était en bonne santé. Mais ça peut être un épuisement passager.

Julie parlait pour rassurer sa jeune amie, de même que François qui continuait de les regarder d'un air atterré. Il se rappelait sûrement son altercation avec Brigitte la veille, car il dit:

— Les mots dépassent toujours notre pensée.

— C'est vrai! confirma Shirley, la voix brisée. C'est bien trop vrai!

— Mais si quelqu'un le sait, c'est elle, affirma Julie.

Il y avait tant de conviction dans sa voix que les jeunes gens se calmèrent momentanément. François se remit à manger. Shirley arrêta de se moucher.

— Ah, le voilà! s'exclama Simon.

Tous se tournèrent vers Alain qui arrivait au même instant et qui s'assit à l'extrémité de la table, à la droite de Julie qu'il salua avec enthousiasme:

— Vous êtes tout simplement radieuse à midi!

Sous l'effet de la surprise, Julie resta interloquée.

— Et notre héros, où est-il? renchérit Alain. Notre ressusciteur d'âmes, où l'avez-vous caché?

Cette seconde remarque froissa Julie définitivement, et elle se tut.

— Mais Alain, qu'est-ce qu'elle a, Brigitte? s'écria Shirley à bout de nerfs. On vous attend depuis quarante-cinq minutes et c'est tout ce que vous avez à dire?

— Qu'est-ce que tu veux que je te dise? Ta copine est malade, mais il était grand temps qu'elle le soit!

— Quoi? s'écria Shirley, horrifiée.

François laissa tomber ses ustensiles dans son assiette, Gérard étouffa un rire. Simon lança:

—Expliquez-vous, Alain. Il n'est pas toujours facile de vous comprendre.

Tout en rompant le pain avec ses doigts et en le badigeonnant généreusement de beurre, le docteur se mit en frais de développer avec un entrain de tous les diables sa théorie sur le temps:

— Rappelez-vous ce que je vous ai dit, ici même, hier matin. On est des prisonniers du temps, il faut le gagner du mieux qu'on peut et non pas le perdre. Eh bien, c'est ce que fait Brigitte actuellement!

— En étant malade? Clouée au lit? En s'affamant? Et en répudiant tous ses amis?

L'énumération enflammée de Shirley trouvait son pendant dans la physionomie de François qui se durcissait au fur et à mesure que le docteur badinait:

— Tout à fait! En optant pour un temps d'arrêt complet, en refusant toute nourriture sauf celle de l'esprit et en rentrant en elle-même pour réfléchir enfin sur sa vie.

— C'est dans la nature des docteurs d'être aussi cruels envers leurs patients? s'exclama François, furieux.

— Non pas cruels, mon garçon, mais réalistes! Hier, vous-même répétiez à tout venant que le temps s'était arrêté, qu'il ne passait plus. Eh bien, la nature du temps ne change pas, mais notre perception du temps, effectivement, peut changer. Et ici, elle a changé pour nous tous comme pour Brigitte.

— À quoi voulez-vous en venir? riposta François.

— À ceci: ce sont nos occupations multiples et quotidiennes reliées au temps qui ont été suspendues, non pas le temps lui-même. En fait, si notre activité motrice a diminué, notre activité mentale et intellectuelle a décuplé. Et en un peu moins de deux jours de retraite forcée, Brigitte a saisi ce qu'il lui aurait pris vingt ans à comprendre: qu'il lui faut remettre en question sa vision du monde et de ses semblables. Vous avouerez avec moi que c'est épuisant pour un organisme. Mais qui oserait dire qu'une maladie pareille ne vaut pas la peine qu'on la chérisse?

Un lourd silence s'abattit autour de la table. Après plusieurs hochements de tête, Alain conclut:

— Il vous semble que tout va très lentement ici, mais je vous assure du contraire: tout va très vite, beaucoup plus vite que vous ne l'imaginez. C'est dans cette immobilité forcée des corps que l'esprit accède parfois à une compréhension éclair de la vie.

À nouveau le silence durant plusieurs minutes. Gérard le rompit en déclarant que si Brigitte revoyait sa vie à une telle vitesse et changeait, il se pouvait bien qu'un ami la ramène à la raison. La raison semblait se réduire à la nécessité de manger, car il désigna du doigt le buffet, mais personne n'était dupe. Le commandant espérait sans doute que sa maîtresse d'hier comprenne aujourd'hui l'impossibilité où il se trouverait de quitter sa femme demain. Il se leva, puis ajouta:

— Je vous ramène Brigitte d'ici peu, en meilleure forme que jamais.

— Je vous déconseille fortement cette visite, Gérard.

La voix d'Alain avait retenti avec tant d'autorité que l'interpellé n'eut même pas le courage de demander pourquoi et se rassit, l'air dépité.

— Après tout, concéda-t-il, vous êtes le docteur.

— Est-ce que vous croyez que je pourrais l'aider? demanda timidement Shirley.

— Tu l'as déjà beaucoup aidée en étant ce que tu es, répondit Alain. Non, je crois que le meilleur remède pour elle n'est pas tant de manger ou de se reposer, mais de discuter, de débattre des idées, de polémiquer.

— De polémiquer? reprit François.

— Oui, oui, confirma Alain, polémiquer comme vous le faisiez ensemble.

Sous le choc, François détourna la tête et s'absorba dans l'étude minutieuse de son assiette de viandes froides. Par son aspect saugrenu, le remède préconisé par le docteur avait aussi ébranlé les autres convives. Ils n'osaient pas parler ni bouger, mais fixaient le jeune homme qui se révélait l'antidote en chair et en os au mal mystérieux de Brigitte. Puis, sans avertir, François bondit de son siège et traversa en trombe la salle à manger.

— Elle l'a vraiment demandé? s'informa Shirley, un sourire angélique sur les lèvres.

— Non, reconnut Alain, mais elle n'a pas cessé de fulminer contre lui tout le temps que je l'examinais. J'en ai tiré la conclusion qu'il fallait que ça sorte, sans intermédiaire, et devant la personne concernée!

Gérard toussota et, pour la première fois, prétexta les responsabilités et les devoirs de sa charge pour quitter la table avant la fin du repas. Après son départ, Shirley retrouva l'épaule de Simon et y déversa le trop-plein d'émotion qui l'avait accaparée depuis le coup de fil du matin à Brigitte. Julie, qui n'avait pas émis un commentaire depuis les remarques ironiques d'Alain, se leva pour rejoindre Tom. Mais son vieil ami lui prit le bras.

— Ce n'était pas méchant, lui dit-il avec bonhomie. Vous ne me connaissez donc pas encore?

— Vous ne me comprenez pas, répondit-elle froidement.

— Je comprends très bien.

— Non.

— Si, je comprends que la vie vous attire davantage que la mort. Et c'est à cette constatation-là que je voulais moi aussi vous amener, en tant que docteur et ami. Maintenant, allez, un sourire! Vous êtes radieuse, demeurez-le!

Alain secouait avec douceur le bras de Julie. Elle esquissa un sourire.

— Vous me comprenez mieux que je ne me comprends moi-même, avoua-t-elle, c'est peut-être ce qui m'a irritée dans votre plaisanterie.

— Oui, mais c'est ainsi. On comprend toujours mieux les autres que soi-même. C'est pourquoi j'ai envie de vous demander ce que vous avez fait à mon épouse.

— À Suzanne?

— Oui, reprit-il d'un ton grave où l'amusement avait cessé. Que lui avez-vous fait ou dit qui ait pu la marquer à ce point?

Julie se rassit et soupesa les paroles d'Alain.

— Rien. Je lui ai fait la lecture, je me suis reposée à côté d'elle, on a jasé, c'est tout. Qu'est-ce qu'elle a?

— Elle est désespérée depuis que vous êtes partie hier.

— Désespérée? répéta-t-elle avec effroi.

Il hocha la tête.

— Elle s'est courbée en deux de douleur durant toute la nuit. Elle a gémi comme je ne l'ai jamais entendu gémir, sauf durant ses accouchements.

— Mon Dieu! Qu'est-ce que j'ai pu faire ou dire de si terrible?

— Je ne sais pas, non, je ne sais pas. Mais voyez-vous, moi, je vous en remercie de tout cœur!

La réplique d'Alain coupa la parole à Julie. Elle le dévisagea sans comprendre. Il poursuivit avec le même emportement:

— Je suis tellement heureux de son désespoir! Si vous saviez! Enfin, elle est en vie!

— En vie? balbutia-t-elle.

— Oui, quand elle a appris la mort de notre fille, elle n'a pas versé une larme ni poussé un gémissement. Elle est restée en pleine maîtrise d'elle-même. Et, après les obsèques, elle est allée s'étendre sur le lit et c'était fini. Plus un son, plus d'appétit, plus de désir. Je crois qu'elle avait décidé de mourir, d'une mort calme, froide, intraitable. Avant votre visite d'hier, rien ne l'avait encore atteinte.

— Suzanne m'en veut alors?

— Sûrement pas. À quoi ou à qui en vouloir de ce que la mort existe, dites-moi? À rien et à personne, elle le sait bien trop. Mais aujourd'hui, enfin, elle a la révolte au ventre. Même l'idée du suicide qui l'obsède me soulage. Si elle a envie de se tuer, c'est qu'elle a au moins une vie maintenant dont elle peut disposer... Vous allez la revoir cet après-midi?

— Si vous pensez que ce n'est pas dangereux pour elle.

— Ce ne l'est plus. Elle a trouvé sa douleur. Et ce n'est pas la douleur qui tue, Julie, mais le refus de la douleur, le refus de la réalité... Vous devriez le savoir.

CHAPITRE 8

Vers quatorze heures trente, Julie prit une grande respiration et frappa à la porte de madame Dufour. Quelques secondes s'écoulèrent sans qu'un pas ou une voix se fît entendre. Emplie d'une sourde appréhension, elle cogna une seconde fois, plus énergiquement. Garde Leblanc ouvrit presque aussitôt. Et l'épuisement que Julie lut dans ses yeux acheva de l'inquiéter.

— Comment va-t-elle? s'enquit la visiteuse à voix basse.

L'infirmière jugea inutile de lui répondre et inclina le front avant de la laisser entrer. Julie avança prudemment un pied, puis un second; ses yeux glissèrent vers le fond de la pièce. Malheur! Le lit était vide! Une voix l'appela aussitôt:

— Ici, Julie.

Elle se retourna et aperçut madame Dufour assise dans sa chaise roulante. La surprise la laissa interdite.

— Je vous ai fait peur, murmura Suzanne d'une voix fragile, mais empreinte de détermination. Excusez-moi.

Julie s'efforça de sourire, mais en vain. Encore tremblante, elle s'agenouilla devant son amie, et posa la joue sur ses genoux.

Tout ce dont elle s'était souvenue devant le lit vide de Suzanne! Plus jamais les jours heureux de l'enfance, plus jamais les jours insouciants et rieurs! Longtemps, Julie avait voulu se remémorer le moins possible sa mère, car la douleur de son père était immense et remplissait toute la maison. Elle s'était consolée en assumant les fonctions de sa mère à la cuisine, dans l'établissement du budget familial, dans les travaux du ménage et en épousant la vocation même de son père: devenir libraire.

Mais si elle n'avait pas osé voir le gouffre que l'absence de sa mère avait creusé dans son cœur, elle le vit après l'enterrement de son père. Elle plaça une chaise à l'entrée de leur chambre et passa la journée à regarder leur lit vide. C'était la première fois qu'elle se permettait de se rappeler sa mère et de la pleurer ouvertement.

Sa mère était morte avant qu'elle ne puisse lui confier son amour pour Bernard et quand elle l'avait confié à son père, en appuyant la tête sur ses genoux comme elle le faisait si souvent, enfant, il n'entendait plus rien de la rumeur du monde. Ni l'un ni l'autre des parents n'avaient vu le visage de leur fille devenue femme, amoureuse et responsable. Ni l'un ni l'autre n'avaient vu ce qu'ils avaient réussi à travers l'accomplissement de leur fille, et leur fille n'avait jamais eu le temps de les en remercier.

Six mois après cette journée dans la chambre déserte de ses parents, Julie avait épousé Bernard dans la plus stricte intimité. Ils n'avaient pas eu assez d'argent pour faire un voyage de noces, mais qu'importe! La cohabitation avait suffi à combler leur goût de voyage, leur besoin de dépaysement. Et ils s'étaient installés dans le grand logement qui s'était libéré, en haut de la librairie.

C'est en prenant conscience des caresses de madame Dufour dans ses cheveux que Julie s'extirpa lentement de ses réminiscences et leva le front.

— Vous avez beaucoup souffert, n'est-ce pas? demanda Suzanne avec tendresse.

— Pas plus que vous.

— Parce que vous, vous êtes forte...

— Non, parce que je n'ai pas eu le choix quand la mort a frappé pour la première fois. Mon père était redevenu un enfant après la disparition de ma mère, et je me devais de le protéger. Et aujourd'hui encore, je n'ai pas le choix...

Suzanne garda le silence un long moment. Julie resta assise à ses pieds, pensive.

— J'ai rêvé à ma fille... qui mourait, chuchota Suzanne.

— C'était la première fois?

Madame Dufour fit signe que oui de la tête.

— Au réveil, dit-elle, ç'a été des douleurs intolérables dans le ventre... comme lorsque j'ai accouché d'elle... Ah, Judith!... Judith!

Les appels de la mère retentirent avec force et soudaineté. Suivit un déferlement de propos emmêlés, aux sentiments extrêmes, et que ponctuèrent des coups de poing contre les accoudoirs de la chaise. Julie ne chercha pas à calmer le bouleversement de sa compagne, qui s'acheva sur une plainte lancinante:

— Mon bébé! Mon tout petit!

Elle avait mal, mais elle avait retrouvé sa voix, l'usage de ses bras et de ses poings, tout le bouillonnement d'idées et l'effervescente vitalité que transmettent des nerfs à vif. Et Julie comprit ce qu'avait ressenti Alain devant une telle explosion d'émotions, car elle le ressentait elle-même: de la joie, une formidable joie qui venait de la certitude que Suzanne ne mourrait pas de sitôt. La conviction que la mort qui la guettait la veille s'était jusqu'alors nourrie de cette douleur démesurée, non exprimée, enfouie au plus profond de sa chair.

Oui, Alain avait raison. Suzanne était terriblement souffrante et, à cause de cela, tout à fait hors de danger! En vingt-quatre heures, elle avait paradoxalement rajeuni, et elle retrouverait bientôt ses dynamiques soixante-dix ans.

Après cette décharge violente de tension nerveuse, Suzanne s'assoupit, le front brûlant, le visage empourpré, les vêtements trempés de sueur. Julie s'assura qu'elle ne prît pas froid, et la couvrit d'une couverture qu'elle alla quérir sur le lit. Puis elle attendit... Au bout d'une heure, Suzanne rouvrit les yeux, la fièvre était disparue. Un rosé délicat colorait ses pommettes, malgré la pâleur du teint. Elle respirait mieux et annonça d'un ton paisible:

— Je me sens bien.

Un frisson pourtant la parcourut.

— Vous êtes trempée jusqu'aux os, ou est-ce que je me trompe? demanda la jeune femme.

Gênée, Suzanne balbutia qu'elle avait même mouillé sa culotte, et demanda qu'elle appelle la garde Leblanc. Julie la rassura:

— C'est l'émotion. Votre corps a exsudé toute sa peine. Vous savez, ce serait un beau cadeau que de me permettre de m'occuper de vous.

Suzanne hésita, puis cligna des yeux. Alors Julie fit la toilette de sa compagne, changea ses vêtements et l'installa confortablement sous les couvertures. Suzanne voulut lui faire une petite place, mais Julie s'assit par terre, croisa les bras sur le bord du lit et y appuya le menton.

— À vous, maintenant, de me faire un cadeau, murmura Suzanne.

— Demandez-moi ce que vous voulez.

— Une soirée au théâtre quand nous serons de retour à Montréal.

— Accordé, ma chère dame.

Suzanne devint songeuse. Elle jouait délicatement avec les boucles de Julie comme si elle les peignait. Puis elle ajouta:

— Avec ma fille, j'allais jusqu'à Toronto, New York ou Boston pour voir des pièces quand j'avais fait le tour de celles dans la métropole... Et puis, ma fille et moi, on se tutoyait.

Et sa main glissa sur celle de Julie; les deux femmes restèrent ainsi un long moment, les doigts emmêlés, confiantes, toutes proches. Brisant le silence, Julie lui confia:

— Vous savez... Ouch!

Suzanne lui avait pincé un doigt, en faisant mine de la punir, et elles se mirent à rire comme des enfants.

— Tu sais, recommença Julie, je connais un homme de théâtre qui a peut-être joué dans les pièces que tu as vues avec ta fille.

— Tu le connais depuis longtemps?

— Depuis notre arrivée ici. C'est un acteur de cinéma aussi.

— C'est ton ami?

— Enfin... un ami ou plutôt quelqu'un avec qui l'amitié est possible... les échanges aussi, l'écoute, le respect de l'autre.

Julie avait énuméré ces choses, le regard absent, l'esprit manifestement ailleurs.

— Il t'attend?

La question décontenança Julie qui chercha ses mots.

— Ma question est trop indiscrète? ajouta Suzanne, espiègle.

— Non, c'est pas ça, fit Julie qui cachait mal son embarras. Je lui ai dit que je venais te voir et il m'a dit qu'il attendrait mon téléphone. De toute façon, il a du travail à faire.

— Oh! téléphone-lui tout de suite et présente-le-moi.

Julie accueillit cette requête avec un désarroi évident.

— Ma demande aussi est trop indiscrète?

— Non, non, je t'assure, c'est pas ça...

Mais Julie, le visage empourpré, avait du mal à garder une contenance. Elle murmura:

— Tom est juste un ami, et pour être honnête... Je ne voudrais pas que tu te méprennes.

— Sur quoi?

Suzanne caressa de la main la joue de la jeune femme et ajouta:

— J'ai beaucoup d'affection pour toi. Est-ce si déraisonnable que je veuille connaître un ami que tu sembles grandement estimer?

Le calme et la paix d'esprit revinrent à Julie qui pressa sa joue dans la paume chaude et fripée de Suzanne, avant d'y déposer un baiser. Elle hocha la tête, d'un air convaincu, puis se dirigea vers le téléphone:

— Tu n'es pas trop fatiguée, Suzanne?

— Oh si, je suis morte! Mais tellement en vie, en même temps!

— Alors, s'informa Julie avec une assurance accrue, est-ce que tu connais Tom Stevens?

Si elle connaissait Tom Stevens? Mais quelle mordue de théâtre ne le connaissait pas? Par cinq fois, Suzanne et sa fille l'avaient vu monter sur les planches à New York. Et chaque fois, une performance inoubliable de l'acteur!

*

— Après Tennessee Williams et Beckett, Tom, je vous ai vu jouer du Shakespeare, du Mamet et... voyons, voyons... la dernière pièce, je ne me souviens pas...

— En quelle année, était-ce? demanda-t-il.

— Oh, il n'y a pas longtemps, c'était...

Depuis une dizaine de minutes, Suzanne et Tom discutaient de l'art des grands dramaturges avec passion. Assis sur le bout d'une chaise, il serrait les mains de la vieille dame, étendue sur le lit, et se rappelait avec elle les moments forts des rôles qu'il avait interprétés. Julie les observait à distance, emplie d'une émotion qu'il lui aurait été difficile de contrôler sans ce retrait silencieux dans un fauteuil placé au pied du lit.

Comment expliquer son malaise, pensait-elle, à la suggestion de Suzanne d'inviter Tom à la chambre, sinon par le trop vif plaisir ressenti à l'idée de sa présence? Après coup, elle s'était dit: si je peux être impatiente de revoir Suzanne, pourquoi ne le serais-je pas de revoir Tom? Pourquoi le simple fait qu'il soit un homme devrait-il entacher la pureté d'un sentiment comme l'amitié?

Il est vrai que l'euphorie qu'il avait manifestée au bout du fil et l'empressement qu'il avait mis à se présenter à la porte de Suzanne, quelques minutes plus tard, en cachant mal son essoufflement et sa satisfaction, avaient à nouveau ébranlé Julie. Mais là encore, ne lisait-elle pas sur le visage de Tom le même contentement qu'elle avait lu un peu plus tôt sur le visage de Suzanne quand elle-même était arrivée? Pourquoi un contentement similaire devrait-il se différencier selon qu'il s'épanouissait chez l'un ou chez l'autre?

Non, il fallait taire ces scrupules si peu dignes d'une femme de cœur! se disait Julie. On avait toujours pu avoir confiance en elle parce qu'elle-même faisait confiance aux autres. Elle était d'abord une femme de parole!

Toutes ces idées tourbillonnaient dans son esprit, tandis que l'image de ses amis en tête-à-tête lui apportait un plaisir indicible. Le profil de Tom se découpait sous ses yeux. Et elle se souvenait encore du temps où elle apercevait cet homme de l'extérieur, élégant et secret, au tempérament actif et froid. Mais y avait-il longtemps de cela? Et quand est-ce que sa vision avait basculé? Depuis quand le percevait-elle de l'intérieur? Car Tom n'était plus l'homme qu'elle distinguait au loin, à distance, un inconnu parmi d'autres. Il n'était plus que lui, il n'était plus qu'ici. Elle ne le voyait plus en fait, elle le reconnaissait.

— Alors Julie, au boulot!

L'exhortation de Tom la prit de court.

— Quoi? Quoi? répéta-t-elle en se laissant mener au milieu de la chambre par un homme résolu et enjoué.

— Ah! quel plaisir vous me faites! lança Suzanne en guise d'encouragement.

N'osant pas décevoir son amie, Julie se tut, mais ne comprenait pas davantage et suivait les déplacements de Tom autour d'elle, l'air stupéfait. Ayant roulé ses manches, il dégageait avec entrain le milieu de la pièce et poussa finalement vers sa compagne le fauteuil dont il l'avait délogée.

— La scène sera petite, mais respectable, conclut-il en direction de Suzanne, une fois le travail terminé.

— La scène? reprit Julie, à voix basse.

Tom pivota sur ses talons et lui fit face. Il glissa un doigt sous son menton.

— Tu étais dans la lune, hein? rétorqua-t-il sur le même ton feutré. Est-ce que je peux te demander à quoi tu rêvais comme ça?

Elle fit signe que non de la tête, mais le feu qui monta à ses joues la trahit. Quoi! elle rougissait à son âge et en sa seule présence à lui? Heureusement, la voix de Suzanne s'éleva à ce moment-là et chassa l'anxiété qui poignait à nouveau en elle.

— Tu es sûre, Julie, que ça ne te dérange pas?

— Pas du tout! lança-t-elle par-dessus l'épaule de Tom, sans savoir ce que «ça» représentait.

Et le regard plein de candeur, elle donna son assentiment à Tom: elle était prête!

— Je ne connais pas de femme comme Julie qui soit si dévouée et si fidèle à ses amis, prononça-t-il tout haut à l'adresse de Suzanne, mais en ne quittant pas la jeune femme des yeux. Elle se soumet à nos exigences avec une confiance aveugle.

— Et une pareille générosité, renchérit Suzanne d'une voix attendrie, nous force à nous dépasser nous-mêmes.

Julie baissa les yeux, envahie par une émotion délicieuse mais paralysante qui lui enleva tous ses moyens. Un silence s'ensuivit, rompu par Tom qui se pencha et chuchota à son oreille:

— Sois mon vis-à-vis. Je vais te déclamer les tirades favorites de Suzanne et de sa fille.

Julie prit place dans le fauteuil. Si cela faisait plaisir à Suzanne! Elle ne réalisa pas avant un bon moment ce qui se passait réellement autour d'elle. Elle voyait bien le bonheur de son amie allongée sur son lit, tout entière tournée vers eux, fermant les yeux pour goûter la beauté d'un monologue ou du souvenir lié au monologue déclamé par l'acteur. Mais elle-même ne parvint que lentement à sentir Tom, son agilité animale qui le faisait se mouvoir avec souplesse à proximité d'elle, en resserrant le cercle autour du fauteuil ou en allant et venant devant ce même fauteuil comme les flux et reflux d'une marée. Car il lui fallait d'abord maîtriser l'étourdissement que ce balaiement de l'espace provoquait. Le vertige maîtrisé, il fallait aussi apprivoiser les intonations étrangères et l'accent inusité de cette langue américaine dans laquelle Tom s'exprimait avec aisance et volubilité.

Enfin, Julie trouva le courage de lever les yeux sur son compagnon, de soutenir son regard intense et pénétrant. Oui, il fallait du courage pour être le point d'ancrage du jeu théâtral de Tom, pour prendre sur elle, dans l'immobilité et le silence absolu auxquels elle était astreinte, tout ce qu'il lui adressait à travers un texte qui ne lui appartenait pas, mais qu'il faisait sien. Et le plaisir manifeste qu'il prenait à la dévisager sans détour, à s'élancer vers elle en esquissant des gestes d'étreinte, de colère ou de déception, à lui parler sur un ton de grande intimité la figeait dans une attitude de timidité et d'inconfort. Pourtant quand Tom se tut et ouvrit les bras pour signaler la fin de sa tirade, Julie ne put croire que son tourment était déjà terminé. Par chance, Suzanne non plus.

— Ah non, continuez, je vous en prie, dit-elle. Une dernière fois.

Tom hésitait. S'essuyant le front luisant de sueur, il se tourna vers Julie et lui lança comme pour s'excuser:

— Je dois t'ennuyer.

— Jamais!

L'exclamation de son auditrice étonna Tom qui suspendit son geste un moment. Il lui jeta un long regard, lourd de reconnaissance. Puis il recommença à s'essuyer, cette fois les mains, en annonçant le texte de la pièce qu'il déclamerait.

Toute au soulagement qu'il n'arrête pas sitôt ses envolées oratoires, Julie en oublia sa timidité et s'abandonna complètement à l'écoute de Tom. Et ce fut comme un déclic qu'elle n'aurait pu s'expliquer, en supposant qu'elle aurait aimé comprendre. Mais elle ne voulait plus comprendre, juste ressentir, vibrer, sympathiser. Tout à coup, Julie faisait un avec Tom. Tout à coup, elle lui répondait avec ses yeux, ses mains, toute sa physionomie et sa posture comme s'il l'entraînait, pressée contre lui, dans une danse imaginaire au milieu d'une salle immense bondée de monde, mais qu'elle ne voyait plus. Il n'y avait que la voix de Tom, les élans de son corps, la puissance de son emprise sur elle quand il la conduisait dans la foule, la faisait tourner sur elle-même et lui insufflait une nouvelle respiration.

Combien de temps dura cette danse irréelle? Julie n'aurait pas su dire. Mais quand Tom ralentit le pas, desserra son étreinte et s'immobilisa en douce devant elle, Julie mit sa main sur sa poitrine pour contenir son cœur qui battait à tout rompre. Elle était en sueur comme lui qui tomba par terre en riant, sortit son mouchoir d'une poche et s'essuya le visage en s'exclamant:

— «Nous» avons été excellents!

— Oui, je sais! répondit Julie à bout de souffle.

Aussi immobile et silencieuse qu'elle avait été, rivée à son fauteuil tout au long du monologue de l'acteur, elle gardait le sentiment qu'ils avaient bien dansé ensemble autour de cette pièce. Quelques minutes pour se remettre de leur fatigue, et quand ils se souvinrent de Suzanne, ils la trouvèrent endormie, le sourire aux lèvres.

Sur la pointe des pieds, ils défirent la scène et réaménagèrent la pièce. Julie avertit la garde Leblanc de leur départ et ils sortirent. Ils ne parlèrent pas durant le trajet du retour, se contentant de se sourire et de sourire au monde autour d'eux. C'est dans l'escalier de service qu'ils empruntèrent pour monter à leur étage que Julie constata non sans étonnement l'atmosphère de fête qui régnait dans les groupes qu'ils croisaient. Puis une flopée de jeunes dévalèrent la volée de marches et la bousculèrent involontairement. Le cœur léger, elle en rit, mais l'un d'eux cria alors:

— Vous vous rendez compte? Demain matin, à sept heures! Mes valises sont déjà faites!

Faux pas dans l'escalier! Julie s'agrippa de justesse à la rampe. Tom vint à son secours, mais son visage s'était rembruni. Elle fit mine de rien et évita son regard. Il avait dû apprendre la nouvelle lorsqu'elle était chez Suzanne, pensa-t-elle, et il n'avait osé la leur apprendre... Rendus à leur étage, Tom dit simplement:

— Viens...

Et Julie le suivit sans poser de question. Ni l'un ni l'autre maintenant n'arboraient de sourire. Dans sa chambre, il l'invita à prendre place dans un fauteuil, se dirigea vers la table de chevet et en ramena son scénario qu'il déposa sur les genoux de la jeune femme.

— Et maintenant, essayons-nous à ça.

— Je n'ai jamais joué, dit-elle calmement.

— Ça n'a pas d'importance, j'aimerais seulement entendre ta voix dans ma langue.

— J'ai un accent, tu sais.

— Moi aussi, quand je parle le français.

— Et si je trébuchais?

— Je te relèverais.

Il n'avait pas peur. Alors pourquoi devrait-elle avoir plus peur que lui?

Et comme une athlète dont les premiers exercices n'en auraient été que de réchauffement, Julie se prit aussi d'envie de jouer, mais cette fois pour de vrai. Même si elle devait fausser ou bégayer, même si elle devait tomber, elle n'avait plus de respect humain. Il n'était que lui, il n'était qu'ici et elle le ferait pour lui, ici, maintenant, parce que demain matin, à sept heures précisément, plus personne n'habiterait cette chambre. Plus jamais.

Elle commença à déclamer le texte sans se faire davantage prier, pour le plaisir de parler, de lui parler, même dans des mots qui n'étaient pas les siens, et sans doute, d'ailleurs, parce qu'ils ne seraient jamais les siens. C'étaient des mots d'amour, elle s'en aperçut très vite, mais ça ne changeait rien au fait qu'elle voulait encore danser en imagination avec lui, même si elle devait lui marcher sur les pieds en trébuchant sur des mots difficiles, même si elle devait couper ses élans en perdant le rythme d'une phrase qu'elle ne comprendrait pas.

Mais voilà, le miracle avait encore lieu! Elle avait un accent, certes, pourtant elle ne trébuchait pas sur les mots. Elle gardait le rythme, l'élan, le souffle des phrases, et suivait Tom dans leur dialogue avec une facilité et une grâce magiques! Elle s'était levée de son fauteuil dès les premiers accords de musique, et sans comprendre, les lumières s'étaient rallumées dans sa tête, le bal avait recommencé. Tom et Julie s'étreignaient à nouveau sur une piste de danse irréelle, entre les quatre murs d'une chambre qui prenait les dimensions d'une salle colossale. La foule était compacte, mais Julie ne voyait que Tom, et la musique coulait en eux à travers les réparties vives et spontanées qu'ils échangeaient avec fièvre... Elle trébucha brusquement!

— *Go on! Don't stop! Put your heart into it! All your heart!* l'encouragea Tom.

Et il la releva tel que promis en faisant des mouvements de ses bras pour l'appeler vers lui, pour la faire marcher jusqu'à lui, en réalité pour la faire déclamer son texte avec plus de conviction encore:

— *Go on! You're beautiful!*

Elle reprit pied et se laissa conduire à nouveau par Tom à travers des mots coulants et passionnés, des phrases sinueuses, tout en arabesques. Le synchronisme de leurs mouvements était parfait comme un dialogue sans bavure où chaque parole en appelle une autre, chaque geste en attire un suivant. Elle regardait de moins en moins le texte qu'elle avait en main, un seul coup d'œil et des phrases entières se fixaient dans sa mémoire avec une rapidité déconcertante. Elle avait l'impression d'avoir déjà lu ce texte, déjà dit ces mots, déjà vécu cette situation.

— *So you think I've forgotten you all these years?* récitait-il d'une voix meurtrie.

— *Not all these years, but once, you've forgotten me once, with that...*

Julie trébucha une seconde fois! Et à nouveau, Tom l'encouragea à continuer, l'exhorta de sa voix chaude, puissante...

Peine perdue, Julie baissa les bras. Dans sa tête résonnaient les derniers mots qu'elle avait prononcés: *«You've forgotten me once... forgotten me once... once...»* Puis un autre bruit claqua à ses oreilles: le scénario venait de tomber sur le sol. Instinctivement, elle reporta ses mains vides sur son visage. Les lumières s'éteignaient.

Le bal était terminé.

*

Tom était appuyé contre le bord de la fenêtre, et Julie, assise dans le fauteuil. En jouant la pièce, ils s'étaient frôlés de nombreuses fois, mais le jeu terminé, ils reprenaient leur distance. Et c'était bien ainsi, pensait-elle, c'était la seule manière d'être ensemble, sans gêne ni fausseté, dans la distance.

Il n'avait pas eu à lui poser de question, elle n'avait pas eu à s'expliquer. Il avait reculé et s'en était allé vers la fenêtre. Elle était allée s'asseoir. À voir Tom regarder distraitement le paysage, on aurait pu penser qu'il attendait quelque chose, qu'elle parle, par exemple.

Mais il n'attendait rien et c'est pour ça que le silence entre eux durait si longtemps: il s'avérait une sorte de havre, de trait d'union. La parole qui les avait réunis les séparerait toujours en quelque sorte.

Julie se résigna pourtant à parler, pour se libérer des mots des autres et retrouver les siens:

— Quand Bernard et moi, on s'est mariés, on n'avait pas assez d'argent pour faire un voyage de noces ni même pour que je m'achète une robe longue. On s'est repris trois ans plus tard, au bal des finissants de Bernard, dans un hôtel luxueux de Montréal. La salle de bal avait un certain chic du siècle dernier, des lustres de cristal illuminaient son plafond, dans nos coupes le champagne coulait à flots et j'étrennais une robe longue en organdi. On a dansé jusqu'aux petites heures. On allait enfin sortir de la misère. Deux salaires entreraient bientôt dans la maison. Et malgré l'avenir prometteur qui s'ouvrait à nous, on s'est juré de ne jamais oublier une seule des années difficiles qu'on avait connues ensemble. Parce qu'elles avaient vu croître notre amour...

Après un répit, elle ajouta:

— Je n'ai jamais oublié. C'était ma grande histoire d'amour.

— Pourquoi en parler au passé? demanda Tom.

Julie ne répondit pas, mais des frissons la firent trembler de la tête aux pieds. Elle continua avec fébrilité, en avalant plusieurs fois sa salive:

— Nous avons vécu quatorze ans en haut de la librairie que j'avais ouverte après la mort de ma mère, quatorze ans de joies et de peines emmêlées, quatorze ans d'une complicité à toute épreuve. Je lui ai toujours été fidèle, d'abord parce que je crois à la fidélité dans l'amour, mais surtout parce que je l'avais trop dans la peau pour être attirée par d'autres. J'appartenais à cet homme et cet homme m'appartenait, tout simplement. Nous étions libres d'être nous-mêmes, de nous consacrer à nos passions et à nos métiers respectifs, justement parce qu'on ne craignait jamais de se perdre. Ce furent des années d'études et d'épanouissement personnel: il est devenu un avocat remarqué, j'ai agrandi la librairie. Il m'a réappris à rire et à danser, à vivre en dehors des souvenirs d'enfance, il m'a réappris... il m'a réappris...

La voix qui avait parlé avec fièvre, sans reprendre son souffle, se brisa tout à coup:

— Il m'apprend à souffrir en silence... à étouffer les hurlements de douleur... il m'apprend ce qu'est la fin du monde...

— Pourquoi?...

— Non, Tom, je t'en supplie, ne me pose pas cette question!

Tant d'angoisse dans la voix de Julie qui s'était tournée vers lui dans une attitude implorante! Il acquiesça à contrecœur.

Exténuée, Julie restait là dans le fauteuil. Son regard erra longtemps dans la chambre avant de se fixer sur la table de chevet. Puis elle s'y dirigea, prit un magazine et revint s'asseoir. Des doigts, elle en caressa la couverture et murmura:

— C'est elle, n'est-ce pas?

L'esprit ailleurs, Tom n'aperçut qu'après quelques secondes le périodique que tenait Julie entre ses mains.

— C'était elle, répondit-il.

Julie tressaillit imperceptiblement.

— Une beauté dévastatrice, ajouta-t-elle, admirative.

— Plutôt inaccessible.

— On n'oublie pas un tel visage. Je l'ai entrevu dans mon demi-sommeil, à bord de l'avion, avant que nous quittions Paris.

Julie remit la revue à sa place, et ne dit plus rien.

— Pose-moi des questions, lança Tom avec provocation, toutes celles que tu veux!

— Ça ne me fera pas répondre à la tienne, dit Julie tristement.

— Je sais. Mais moi, je veux répondre à la question: pourquoi je parle de Luma au passé?

Julie se leva et murmura:

— Il vaut mieux que je parte, je crois.

— Non, justement, dit-il en adoucissant la voix, il vaut mieux que tu saches quel homme je suis.

Julie se rassit, croisa les mains sur ses genoux et fixa son attention sur ses doigts blancs et fins. Elle ressemblait à une écolière ramassant ses forces avant de passer un examen. Tom s'affala sur le bord du lit et la rassura:

— N'aie pas peur. C'est moi qui dois parler et me dire la vérité une fois pour toutes.

Julie hocha la tête, mais ne leva pas les yeux.

— Tu vois, dit-il après un moment de réflexion, un visage comme celui de Luma, tu l'admires, tu le contemples ou tu le vénères, mais tu ne t'y attaches pas. C'est difficile à expliquer, c'est comme ce paysage magnifique à la fenêtre ou une vitrine de bonbons quand on est petit garçon, on rêve de courir vers ce visage, à bras ouverts, mais il n'entre jamais en toi. Tu ne sens même pas le besoin d'avoir une petite photo de ses yeux ou de son sourire dans ton portefeuille, une petite photo que tu exhiberais avec fierté aux gens autour de toi ou que tu goûterais en secret quand tu es seul. De toute façon, son visage est partout, sur des couvertures de magazines, des panneaux publicitaires, des produits de beauté. Il devient presque impersonnel ou intemporel. Il est d'ailleurs sans marque ni défaut, il n'a pas d'histoire... Tu vois, Julie, durant des années, je n'ai recherché que ces visages de top-models. Parce que les différences d'âge, de culture et de pensée que je trouvais derrière ces visages me protégeaient d'une proximité, d'une intimité que je jugeais encombrante si je voulais me consacrer à mon métier et essayer de réussir.

— Tu as réussi, affirma Julie.

Leurs regards se croisèrent avec une tendresse non dissimulée. Elle répéta sa phrase pour dissiper le doute qu'elle avait perçu dans la voix de Tom qui lui sourit piteusement.

— Non, j'ai échoué! déclara-t-il. J'ai tout sacrifié pour réussir. Et aujourd'hui, avec mon «succès», je me retrouve devant le vide. Oui, le grand vide. Je me dis: tous mes sacrifices pour ça?

— Oui, pour pouvoir remettre tout en question, pour pouvoir même souhaiter tout recommencer. Mais ça ne changerait rien. Si tu avais à refaire ta vie, tu la ferais probablement de la même manière. Parce que tu n'avais pas vraiment le choix, parce que tu avais des choses à te prouver, des dons à développer...

— Tu as tort, l'interrompit Tom. Si je n'avais pas le choix à l'époque, j'ai le courage aujourd'hui de reconnaître que je me suis trompé. Ça n'en valait pas le coup! Avec le succès, je n'ai réussi qu'une chose: me condamner à la solitude.

— Mais tu oublies l'essentiel: ces moments d'émotion inoubliables que tu as donnés aux spectateurs qui t'ont vu sur scène ou à l'écran. Et c'était une partie de toi-même que tu leur donnais. Regarde Suzanne. Tu lui as redonné goût à la vie avec ta voix et tes gestes. Tu étais peut-être la dernière image que sa fille Judith a emportée avec elle dans le grand silence. Seul, toi? Combien de gens t'admirent et respectent ton talent? Tu n'as pas le droit d'appeler ça un échec.

Les convictions de Julie avaient ébranlé celles de Tom qui détourna son regard vers la fenêtre, visiblement touché par ces paroles.

— Toujours la même indulgence envers les autres, constata-t-il, mais la même sévérité pour toi-même.

Elle ignora cette remarque pour se contenter de répondre:

— Une amie, c'est quelqu'un qui essaie de comprendre et qui... pardonne pour les autres qui ne le peuvent pas.

— Alors, tu me pardonnes d'avoir réussi ma vie publique au détriment de ma vie privée, au détriment des femmes qui m'ont aimé, des amis qui m'ont soutenu? Tu peux me pardonner de les avoir abandonnés? Tu pourras me pardonner de quitter Luma qui m'adore, mais que je n'aime pas?

Une douleur traversa le visage de Julie, qui s'évanouit presque aussitôt.

— Oui, dit-elle, parce que maintenant tu veux changer.

Elle se leva et se dirigea vers la porte.

— Je vais me préparer pour le souper, Tom. Tu veux toujours m'accompagner?

— Je ne sacrifierais pas une seconde qui nous reste pour dix millions de dollars! s'exclama-t-il en forçant sa gaieté.

Elle ouvrit la porte. Au moment de sortir, il l'appela. Elle se tourna vers lui.

— Si au moins j'étais sûr que quelqu'un sera là quand toi, tu appelleras, dit Tom, redevenu grave.

Et rien n'aurait pu réconforter davantage Julie que cette parole d'amitié où perçaient tant de prévenance et quelque chose qui ressemblait étrangement à de la gratitude.

CHAPITRE 9

C'était quand déjà la première fois où elle s'était tenue ainsi, à l'entrée de la salle à manger? Il y avait si longtemps. Une éternité! Pourtant, depuis le premier matin où, isolée et effrayée, elle avait cherché des yeux Alain dans la même foule, une trentaine d'heures à peine s'étaient écoulées. Quel changement depuis! Avec son maquillage de soirée qui mettait en valeur la finesse de ses traits, un tailleur de soie noire qui soulignait sa taille élancée et dont la jupe dégageait le galbe parfait de ses jambes, Julie était fière et brave à l'entrée de la salle en ce dernier soir. Et l'accompagnait Tom qui lui offrit le bras avec galanterie, et qu'elle accepta.

La salle s'était complètement modifiée en quelques heures. Une musique nostalgique des années cinquante accueillait avec chaleur les arrivants. Le buffet avait disparu. À sa place, un petit orchestre jouait ses notes lancinantes derrière une piste de danse où s'enlaçaient déjà quelques couples. Plus de cris ni de vacarme; les gens restaient paisiblement assis en attendant le service aux tables que permettait l'accroissement notable de personnel.

À l'éclairage cru des plafonniers s'était substitué celui feutré des appliques, des projecteurs dirigés sur l'orchestre et des chandelles qui brillaient sur les tables comme autant d'étoiles dans un ciel sans nuage. Pour célébrer le retour à la normale et le départ imminent de ses hôtes, la direction de l'hôtel avait préparé cette soirée d'adieu dans un esprit rétro.

Tom et Julie aperçurent donc Alain, Shirley et Simon vêtus de leurs plus beaux atours et qui se levèrent de table à leur approche:

— Nous trinquons à l'amitié qui nous vaut votre compagnie inestimable en ce dernier repas, déclara Alain, placé au bout de la table.

Les trois compères avalèrent une gorgée et déposèrent leurs verres. Suivirent embrassades et poignées de main. Célébrer la fin de leur retraite sur l'île acquerrait une solennité toute particulière. Simon invita les nouveaux venus à prendre place en face d'eux, et Alain qui présidait le groupe leur avança des coupes.

— C'est ma tournée, ce soir, annonça-t-il en remplissant leurs verres. L'hôtel s'est réapprovisionné cet après-midi et il n'est pas question qu'on en manque.

— Ce serait surtout triste qu'il nous en reste, ajouta Shirley dont un coup d'œil à l'autre bout de la table qui restait déserte laissa deviner sa pensée.

Sur la nappe, six bouteilles de vin donnaient un avant-goût des festivités en vue, mais trois coupes vides devant autant de sièges inoccupés ternissaient d'avance leur éclat. Ignorant les rebondissements de l'intrigue qui s'était nouée autour de Brigitte, Tom demanda innocemment:

— On ne sera donc pas au complet ce soir?

Shirley hésita, sembla chercher l'approbation d'Alain avant de dire:

— J'ai aperçu en fin d'après-midi le commandant qui frappait à la porte de Brigitte, avec un énorme bouquet de fleurs dans les bras...

— ... et j'avais croisé François quelques heures plus tôt, continua Simon. Il courait dehors, par ce froid, sans manteau. Je l'ai prévenu: «Tu vas attraper ton coup de mort!» Il m'a répondu: «À qui vais-je manquer?»

— Et Brigitte ne répond plus à la porte ni au téléphone, conclut Alain d'un ton morose, en se frottant le front. Bah! faut que jeunesse se passe! Et pourquoi la vieillesse prétendrait-elle la comprendre?

— Vous vous trompez, intervint Julie d'une voix douce mais assurée, Brigitte ne nous décevra pas.

Instinctivement, Tom posa le bras sur le dossier de la chaise de sa compagne.

— Julie a raison, dit-il.

Ces simples mots allèrent droit au cœur de Julie. Oui, il le sait lui aussi maintenant, pensa-t-elle, il sait qu'aucun de nous ne décevra jamais l'autre, quel que soit l'avenir, quelle que soit l'heure où arrivera pour nous demain. Et la chaleur que dégageait le bras de Tom avait la force de la plus douce accolade.

Alain toussota, puis leva son verre en disant:

— Alors, à Julie qui croit...

— ... en la misère et en la grandeur des êtres humains, déclama Tom, d'un ton où s'emmêlaient ironie et tendresse.

— ... en l'obstination des femmes à inventer leur chemin, ajouta Shirley d'un même élan de douce malice.

Simon chercha ses mots en voyant les yeux de ses voisins tournés vers lui.

— C'est trop, c'est trop, répétait Julie pour dissuader le jeune homme d'en rajouter.

Mais Simon leva son verre et bégaya:

— En... en... la capacité des hommes d'aimer!

Tous partirent à rire, même Tom qui roula sa serviette de table et la lança d'un air taquin sur Simon.

— Non, sérieusement, reprit Julie, je pourrais en dire autant de chacun de vous.

— Alors, à votre tour de porter un toast, dit Alain. Après j'irai m'ébrouer avec Shirley qui m'a promis une danse.

Julie regarda chacun des convives avec chaleur et, après un silence, énonça d'une voix tremblante:

— À notre nouvelle famille dont j'ai appris à faire partie, famille liée non par le sang mais par le cœur.

Au dernier mot, elle se tourna vers Tom qui en oublia de boire avec les autres.

— À votre tour, Tom! s'exclama Alain.

Tom sursauta.

— Comment ça, à mon tour! Vous venez de dire que le toast de Julie serait le dernier avant d'aller danser! Et puis, et puis... Julie m'a justement promis cette danse!

L'orchestre venait d'entamer un hit des Platters et Tom prit la main de Julie en lui faisant un clin d'œil. Il allait se lever quand Alain l'arrêta:

— C'est vrai, j'ai dit ça. Mais ç'aurait été le dernier si vous aviez bu avec nous au toast de Julie.

— Mais j'ai bu! Non?... Je n'ai pas bu?... Julie?

Elle hocha la tête négativement, en retenant son fou rire. Alors Tom se rassit, prit son verre et le regarda fixement. D'enjoué, son visage devint si sérieux que les autres s'assagirent. Tous ressentaient l'importance de ces dernières retrouvailles, malgré l'humour et la légèreté apparentes dont ils faisaient preuve; mais peut-être n'y mettaient-ils autant d'entrain que pour alléger une atmosphère qui serait vite devenue par trop mélancolique.

D'une voix posée, Tom leva son verre et déclara:

— À ces deux jours qui m'ont appris à ne plus me cacher derrière les mots des autres et à devenir le véritable acteur de ma propre vie.

Il but. Tous imitèrent son geste avec ce sentiment que Tom avait résumé un désir essentiel pour chacun d'eux. Après cette vérité dévoilée en public, maladresse et timidité s'emparèrent des convives.

— C'est vrai qu'on a beaucoup appris ici, intervint Alain, l'air songeur. J'ai appris que la pire des souffrances physiques pouvait être libératrice.

Et en levant son verre, il ajouta:

— Au temps, le meilleur guérisseur de l'âme!

On but une dernière fois, mais l'atmosphère devenait lourde, presque oppressante.

— Avant de rouler sous la table, s'exclama Tom, allons danser! Julie?

La piste de danse pouvait contenir une vingtaine de couples. L'orchestre de quatre musiciens y allait de son répertoire rétro avec un plaisir évident que partageaient les gens de la salle. Après trois jours d'un va-et-vient infatigable, tous semblaient comblés soit de rester assis à leur table, soit de danser des slows.

En entrant sur la piste, Tom enlaça avec ardeur sa cavalière, pour se distancer aussitôt:

— Excuse-moi, Julie...

— Non, non, ça va...

En entendant sa voix toute frêle, il se recula pour la regarder, puis il la serra délicatement dans ses bras. D'un ton badin et grave tout à la fois, il lui chuchota à l'oreille:

— Je ne savais pas que les femmes rougissaient encore de nos jours.

— Moi non plus, fit-elle, embarrassée.

— Alors je me rappellerai que c'était pour moi, seulement pour moi...

Julie répondit avec une légère pression de sa paume dans le dos de son partenaire qui répliqua en accentuant la pression de son bras autour de sa taille. L'étreinte restait dans les limites de ce qu'ils pouvaient escompter se donner d'une façon réaliste jusqu'à demain: rien d'autre que le temps qui passe, se partage et fuit.

Avec cette assurance, Julie ferma les yeux et appuya le front contre l'épaule de son compagnon. La musique et l'odeur de Tom la grisaient, la soulevaient de terre. Elle se sentait en vie à nouveau, jeune à nouveau, femme à nouveau. Des rêves revenaient l'habiter. Des paysages de mer se dessinaient sous ses paupières. Et puis des souvenirs ressurgissaient. Ah! la chaleur du soleil sur son visage, la fraîcheur du vent sur ses bras, le picotement du sable sous ses pieds nus, le goût de l'herbe entre ses dents! Que la vie était belle alors, avec un futur, du possible, avec de la vraie Vie dedans!

— Je me sens dans un film, murmura-t-elle.

— Moi aussi, dit-il.

— Tout me semble irréel et c'est si beau!

— C'est le contraire pour moi.

Tom avait prononcé ces mots froidement. Julie leva sur son partenaire des yeux inquiets:

— Pour moi, expliqua-t-il, ce film, c'est quelque chose de bien réel, mais qui va se terminer. Et je vais devoir rentrer dans l'irréalité de ma vie.

Julie vit les lèvres de Tom trembler.

— On dit peut-être la même chose, remarqua-t-elle. C'est la réalité... la réalité extérieure...

— Qu'on ne veut pas laisser passer entre nous? murmura-t-il.

Elle acquiesça en ajoutant:

— Pas avant demain...

Ils se rapprochèrent imperceptiblement en refermant leurs bras sur l'autre.

Julie ne pouvait plus se cacher que leur amitié avait pris une tournure particulière, inusitée, par la force des émotions qu'elle éveillait chez elle. Qu'il fût heureux, qu'il rencontrât une femme digne de lui, c'étaient autant de souhaits qu'elle émettait en secret, mais qu'elle n'aurait osé lui exprimer verbalement pour l'instant...

Parfois, une mélodie lancinante ou un mouvement sensuel de Tom précipitait Julie dans un état affolant de joie et de désespoir emmêlés. Elle s'apaisait en pensant qu'elle préparait le terrain à une rencontre amoureuse entre Tom et quelqu'une d'autre. Oui, elle était en train d'apprendre à Tom à chercher et découvrir cet alter ego qui ne pourrait jamais être elle. Cette femme à venir, pourvu qu'il l'aimât et en fût aimé, serait une partie du rêve de Julie.

Et cette contribution, aussi infime fût-elle, au bonheur futur de Tom parvenait quelque peu à atténuer la vivacité du sentiment qu'elle avait pour lui. Ce sentiment, allant au-delà de l'amitié assurément, mais en deçà de l'amour nécessairement, se logeait quelque part entre les deux. Quelque part où elle était certaine de ne pas trahir Bernard, l'homme de sa vie, qui lui avait tout donné et, d'un seul coup, tout enlevé.

— Vous permettez?

La voix d'Alain, qui tapotait doucement l'épaule de Tom, interrompit les ruminations de Julie. Le comédien inclina le front vers sa compagne et retourna à la table. Par-dessus l'épaule du vieux docteur, Julie aperçut Shirley engouffrée dans les bras de son bien-aimé, Simon.

— Vous vous êtes fait voler votre place, à ce que je vois, dit-elle.

— Je ne le regrette pas, plaisanta Alain, j'en convoitais une autre.

Là-dessus, il fit tournoyer sa cavalière sur la piste de danse, puis s'immobilisa, essoufflé mais content.

— Ah! tout ceci me renvoie tellement à ma jeunesse! continua-t-il. Suzanne et moi avons eu une vie riche et remplie. Je peux vous l'avouer, mon épouse m'a comblé au-delà de mes espérances. Parce que dans ma jeunesse, je n'en attendais pas tant d'une relation à deux, je ne croyais pas à la possibilité d'un vrai bonheur familial.

— Au fait, comment va-t-elle? s'enquit Julie. Elle s'était assoupie quand je... quand Tom et moi l'avons quittée cet après-midi.

— Elle dort encore comme un bébé! Sans gémissements ni plainte. Je crois que la souffrance intolérable de la nuit dernière s'est évanouie pour de bon. Elle aura encore des malaises, c'est sûr, des maux de têtes et des épuisements comme tout le monde. Mais rien d'incontrôlable ou d'insupportable...

Puis Alain regarda Julie avec une expression indéfinissable et murmura:

— C'est ça un miracle: quand la volonté de vivre l'emporte sur la volonté de mourir. Merci de me l'avoir rendue... parce que c'est bien vous qui avez déclenché ce mécanisme de survie chez Suzanne.

— Moi? fit Julie, incrédule. Moi qui me sens si peu apte à la vie...

— On peut se résigner à ce que la mort existe, sans l'aimer pour autant.

Julie, qui ne sembla pas avoir entendu, continua d'un ton las:

— Et si peu apte au bonheur...

— Écoutez-moi bien, jeune fille! s'emporta-t-il en secouant sa cavalière par les épaules. Oui, oui, j'ai bien dit: jeune fille! J'ai soixante-quatorze ans et vous n'avez pas la moitié de ce chemin de parcouru. Alors...

Mais il s'arrêta presque aussitôt. Julie le dévisageait avec un air surpris et soumis trop attendrissant.

— Ah, vous me mettez hors de moi! se contenta-t-il d'ajouter.

Pour se faire pardonner son accès de colère, il pressa sa cavalière contre lui avec tendresse. Et baissant la voix, il lui prodigua quelques conseils:

— Ma chère enfant, il n'y a que les imbéciles et les esprits mesquins pour réduire la vie à un code moral ou à une étiquette, ou pour prétendre avoir le droit de penser pour les autres. Ne vous laissez pas prendre dans leurs filets.

— Vous devenez trop moraliste, Alain, protesta faiblement Julie, touchée malgré elle par la sollicitude qu'il lui témoignait.

— Peut-être, mais je veux vous mettre en garde contre tous ces beaux principes et cas de conscience désuets qui amènent régulièrement des patients à mon bureau. Ils souffrent dans leur corps, c'est vrai, mais trop souvent parce que leur âme ou leur désir pâtissent depuis plus longtemps encore.

Alain posa une main sur la joue de Julie qui détourna les yeux.

— Ne faites pas la sourde oreille et écoutez-moi jusqu'au bout... Il n'y a que vous qui sachiez ce que vous devez céder à la vie pour surmonter l'enfer qui vous attend. Il n'y a que vous pour tirer des douceurs du quotidien votre part de forces et de courage pour l'avenir. Personne d'autre que vous-même ne vous jugera.

— Taisez-vous, murmura-t-elle en enfouissant son visage dans le cou d'Alain et en se serrant contre lui. Taisez-vous, je vous en prie.

— D'accord. Mais n'oubliez pas, Suzanne et moi serons toujours là, avec vous.

— Je vous aime tous les deux si fort.

Alain avait imprégné à ses bras un léger mouvement de bercement et Julie se mit à chantonner tout bas l'air que les musiciens jouaient. Avec lui, elle pouvait redevenir une enfant, se reposer, n'être qu'elle-même.

Puis le médecin reprit ses droits:

— La santé va bien? Vous gobez toujours vos pilules?

— Depuis hier après-midi, j'ai oublié d'en prendre, répondit-elle avec insouciance.

— Oublié? Hum, c'est très bien. Vous suivez ma prescription?

— Laquelle?

— Euh... celle que je vous ai donnée à notre arrivée à l'hôtel.

— Celle que vous avez griffonnée à la hâte sur un bout de papier?

Piqué par le ton moqueur de Julie, Alain riposta:

— J'ai soixante-quatorze ans, mais ma mémoire est intacte, jeune fille. Attendez... si je me rappelle bien... je vous ai prescrit du repos, une saine alimentation et, sûrement, une vie sociale plus divertissante que celle que vous vous allouez à la maison.

— Je vous accorde que vous vous rappelez l'esprit de votre ordonnance, fit-elle avec ironie, mais pas tout à fait la lettre.

De la poche de sa veste, elle sortit une petite feuille qu'elle déplia sous les yeux étonnés d'Alain:

— Je la garde toujours sur moi, comme une sorte de talisman, avoua-t-elle. Il y avait longtemps que l'on ne m'avait pas réprimandée aussi aimablement.

Au mot «réprimandée», Alain se défendit avec véhémence, tout en cherchant dans ses poches ses lunettes qu'il ne trouva pas.

— Il n'est pas dans mes manières de dicter aux gens quoi faire! Ni...

— Alors, je vous la lis, l'interrompit Julie, en suivant les mots avec son doigt: «Ordre formel: de l'égoïsme, de l'égoïsme et encore de l'égoïsme! Raison: contrer la propension malsaine à porter le monde sur vos épaules!»

— Ouf! s'exclama Alain, embarrassé. Je suis peut-être, euh... disons, plus catégorique que je ne le pense.

Julie hocha la tête, le regard sévère. Puis, un large sourire dégagea ses dents étincelantes.

— Vous aimez secouer les puces aux gens endormis... ou à ceux qui se croient déjà morts. Vous n'avez pas tort.

Le visage de Julie se rembrunit. Voulant changer de sujet, Alain s'écria:

— Vous n'avez pas faim, vous? Moi, le vin m'a ouvert l'appétit. Allons-y avant qu'il ne reste plus rien dans les cuisines!

Alain entraîna Julie. Au moment de quitter la piste de danse, elle le retint par la main.

— J'ai rejoint mon mari avant le souper, dit-elle, la voix éteinte.

— Ah oui?

— Enfin, il faisait sa sieste... Mais j'ai parlé à un ami qui venait travailler avec lui, et qui était arrivé beaucoup plus tôt que prévu. Dès le début, ils ont été informés de l'atterrissage de mon avion ici.

— J'espère que tout ça vous rassure.

— Oui, d'une certaine façon...

De retour à la table où Tom les attendait avec impatience, et rejoints par Shirley et Simon perdus dans les yeux l'un de l'autre, Alain et Julie n'eurent plus d'autre préoccupation que de choisir entre les plats chauds que les cuisiniers avaient préparés: poulet chasseur ou bœuf bourguignon. Et le repas se déroula dans une ambiance chaleureuse et sereine, pleine d'enthousiasme. Les jeunes amoureux et Alain trouvaient dans la perspective des jours à venir la source de leur gaieté folle, tandis que Julie et Tom trouvaient dans les limites du présent la source de leur exubérance inépuisable.

Depuis quand Tom tutoyait-il Simon et Shirley qui le lui rendaient bien? Depuis quand se comportait-il en société avec tant de naturel et de simplicité? Julie n'aurait pas su dire, mais ce changement de caractère lui plaisait parce qu'il révélait le bien-être réel de son compagnon. Plus la moindre trace de sa réserve hautaine, de son abord presque glacial. Il était volubile, communicatif et prenait un aussi vif plaisir à écouter qu'à parler.

Après avoir ri d'une bévue qu'avait racontée Simon et conscient que Julie l'observait, Tom agrippa sa main.

— Ça va? dit-il.

Aussi surpris que Julie, il relâcha aussitôt son emprise. C'était dans ces réactions involontaires que chacun trahissait l'affection qu'il éprouvait pour l'autre. Comme lorsque Julie glissa machinalement un doigt sur le menton de Tom où une miette de pain s'était fixée, et se reprit sur-le-champ. Consciente que Tom l'observait à son tour, elle lui avait relancé un «ça va?» le moins lourd possible de sous-entendus.

Il n'y avait qu'Alain qu'on vouvoyait toujours, Alain nimbé d'une dignité et d'une autorité que son âge et son expérience semblaient lui conférer presque naturellement. Alors il alla de soi qu'à la fin du repas on se pliât de bonne grâce à sa volonté une dernière fois:

— Maintenant, mes amis, il faut sortir, marcher à la rencontre de cette nature qui nous a soumis à ses lois durant trois jours, et lui rendre l'hommage qui lui est dû. Nul ne va contre elle sans en payer le prix.

Il fixa le rendez-vous une demi-heure plus tard, à l'entrée de l'hôtel. Et tous se dispersèrent vers leurs chambres, en quête de vêtements chauds.

*

L'air froid surprenait d'abord, qui mordait les visages brûlants et fiévreux des fêtards. Ensuite la nuit profonde, illuminée au sol par les montagnes de neige accumulée de chaque côté du chemin bordé d'arbres et de lampadaires, et qui donnaient l'impression d'un tunnel. Puis le silence sans fond où se perdaient les voix et les crissements sous les pas de la piste glacée, saupoudrée de sable. D'autres habitants de l'hôtel avaient eu aussi l'idée de se réconcilier avec la nature au repos et, quand les différents groupes se croisaient au cours du pèlerinage, on se saluait du regard ou du geste sans oser émettre un son. On se serait cru dans une cathédrale de givre à ciel ouvert.

Alain ouvrait la marche d'un pas royal, escorté par Tom et Simon. Julie et Shirley suivaient lentement, bras dessus, bras dessous. À quelques mètres de l'hôtel, le vieux médecin s'arrêta, écarta les bras et se tourna vers ses quatre compagnons:

— Regardez-la, proclama-t-il, regardez-la! On ne dompte pas la nature, mais la nature peut nous apprendre à vivre sans danger avec ce qui reste indompté, sauvage ou instinctif en nous. Je crois... j'espère que c'est la leçon que vous avez accepté d'entendre, ici.

À l'intérieur, une phrase pareille aurait été accueillie avec l'humour habituel: échanges de clins d'œil malicieux ou de petits sourires narquois entre les interlocuteurs. On se moquait gentiment de ce style emphatique qu'adoptait Alain pour parler de choses simples et vraies. Mais à l'extérieur, dans ce paysage grandiose, presque théâtral, avec lequel le célébrant fusionnait, personne n'ironisa. On pardonnait le style parce que l'idée frappait les esprits et résonnait dans les ventres avec force.

Se rencontrer soi-même et assumer ses désirs, vivre selon ses propres critères, mais dans le respect des autres: le programme d'une vie, quoi! Pouvait-on le réaliser en trois jours? se demanda Julie en remarquant l'air réfléchi de ses compagnons. Sans doute pas. Mais on pouvait du moins prendre conscience de la nécessité d'accéder à ces valeurs.

Puis le groupe reprit sa marche, les hommes communiquant leurs impressions à tour de rôle, Shirley et Julie soupirant l'une après l'autre devant les spectacles éblouissants de la nature qui se révélaient au détour du chemin. Puis les hommes ralentirent le pas et les femmes les dépassèrent. Julie et Shirley avaient pris une bonne distance d'avec leurs compagnons, quand elles arrivèrent à une fourche.

Un sentier se détachait du chemin principal et disparaissait derrière une rangée de sapins au sommet d'une butte. Elles voulurent l'explorer avant l'arrivée des autres et gravirent la pente à bons pas. Les lampadaires s'espaçaient dans ce sentier et créaient des îlots d'ombre. À mi-chemin, elles entendirent des voix. Et, se découpant devant la masse noire de conifères, une forme blanche surgit des ténèbres.

Prise de panique, Shirley voulut redescendre le sentier, mais sa compagne resta immobile.

— Attends un peu, fit Julie qui trouvait à l'apparition une allure familière.

Soudain un bruit sourd éclata qui fit pousser un hurlement à Shirley: une balle de neige venait de la frapper en pleine poitrine.

— Mais tu ne me reconnais pas? cria aussitôt le fantôme qui s'avançait dans la clarté d'un lampadaire.

Julie sourit, mais Shirley figea sur place et n'entendit pas à rire:

— Tu te penses intelligente, Brigitte, avec ta farce plate? Laisse-moi te dire que tu n'es pas drôle et que tu ne l'as jamais été! Viens-t'en, Julie!

— C'est tout ce que tu as à me dire? lança Brigitte d'une voix piteuse.

Un silence lourd accueillit cette question. La revenante était maintenant pleinement visible dans la lumière, drapée dans son long manteau couleur crème, et son visage exprimait un réel repentir.

— Je sais, continua Brigitte, que de tous les gens que j'ai connus dans ma vie, c'est toi qui m'as comprise et endurée le plus longtemps. Je n'avais pas le droit de te laisser tomber au moment où tu avais tellement besoin de moi. Ce n'est pas bien que l'amitié soit juste dans les moments faciles, jamais dans les coups durs.

Shirley tourna le dos à Brigitte qui la supplia:

— Non, ne t'en va pas, s'il te plaît!

Shirley poussa un gros soupir d'exaspération et commença à gratter le sol avec le talon de ses bottes.

— Je sais, poursuivit Brigitte, que ma conduite est impardonnable. Je ne peux pas t'en vouloir. Mais je tiens quand même à te dire que je suis vraiment contente pour toi. Simon est un type super, et il t'adore, il saura te rendre heureuse comme tu le mérites. Je regrette d'avoir été sourde aux gens bien qui m'entouraient. Je sais que je ne trouverai jamais une amie comme toi, t'es irremplaçable.

— O.K., lança Shirley excédée, t'as fini?

— Je voulais aussi que tu saches que même si j'ai mal agi envers toi, même si je n'ai pas su être à la hauteur, eh bien... je n'ai jamais aimé une fille comme je t'ai aimée. Je me rends compte de tout ce que ton amitié m'a apporté durant ces années. Merci d'avoir été là, merci de...

— Bon, c'est fini enfin? cria Shirley, la voix chevrotante. Parce que tu n'es pas drôle, O.K., pas drôle du...

La voix s'étrangla tout à coup. Les épaules étaient secouées de petits sursauts.

— Shirley? appela Brigitte inquiète. Shirley? Mais réponds-moi! Qu'est-ce qu'il y a, ma grande amie?

Aux derniers mots, éclatèrent les sanglots de Shirley qui tapait du pied sur le sol. Brigitte dévala le sentier à l'épouvante, puis s'arrêta à deux pas de son amie en pleurs.

— Ah! Shirley, supplia-t-elle, si tu peux trouver en toi la force de pardonner à un monstre, une débile, une idiote, à la pire des ingrates, pardonne-moi! Ma vie sans ton amitié ne sera plus la même! Qu'est-ce que je vais devenir sans toi pour m'aider à ne pas faire d'autres bêtises, sans toi pour m'apprendre à corriger mes défauts? Ah! Pardonne-moi!

— O.K., O.K., geignit Shirley. Si ça peut t'arrêter de parler!

Et elle se retourna vers Brigitte, le visage en larmes. Une moue boudeuse flottait sur ses traits crispés.

— Depuis quand tu pleures, toi, Brigitte Lagacé? fit-elle dans un dernier sursaut de dépit.

— Depuis que j'ai perdu la plus tendre des sœurs, Shirley Baker.

À ce dernier aveu, toute résistance s'évanouit. Les jeunes femmes tombèrent dans les bras l'une de l'autre.

Après les embrassades, ce furent d'interminables épanchements: combien chacune avait manqué à l'autre, combien l'absence de chacune avait obsédé l'autre, combien la vie amoureuse de chacune avait été perturbée par l'amitié brisée avec l'autre. Les superlatifs fusaient au milieu des rires et des sanglots emmêlés.

Julie assistait à cette réconciliation avec discrétion. Tout à coup, elle sentit une main effleurer son bras. Elle se retourna et, avec une joie sincère, tendit les mains:

— François! Quel bonheur!

Shirley l'aperçut au même moment et sembla ravaler toute sa peine. Elle s'écria à l'adresse de Brigitte et de François:

— Vous êtes ensemble?

Et devant les mines resplendissantes des personnes concernées, elle ajouta:

— Pour de bon?

— On espère... commença Brigitte en souriant à son compagnon.

— ... pour un maudit bout de temps! acheva François.

Là-dessus, Shirley se jeta au cou de son collègue et l'embrassa comme si elle ne l'avait pas vu depuis des mois. Puis elle retourna à Brigitte qu'elle entraîna par la main vers le bas du sentier.

— Viens! Les autres doivent nous attendre sur le chemin!

Les jeunes femmes dévalèrent la pente à vive allure en se lançant des balles de neige. Finies la colère et l'amertume! Elles se retrouvaient plus proches, plus unies que jamais. Leurs cris de joie retentissaient dans l'air comme une musique venue de l'enfance.

François et Julie empruntèrent la descente avec moins d'empressement.

— Je suis très heureux qu'elles se soient retrouvées, avoua-t-il.

— Et moi, que vous vous soyez retrouvés, Brigitte et toi.

— Vous n'aviez pas l'air étonnée de me voir, tantôt.

Julie lui prit le bras et dit:

— Je savais que Brigitte avait reconnu en toi un homme de valeur. Mais je savais surtout que Brigitte accepterait un jour l'idée qu'elle-même a autant de valeur... Et maintenant, il faut me tutoyer, François. Parce que j'ai cette impression étrange, mais tenace, que nous sommes entrés dans une grande famille.

— Pas tous, répondit-il, l'air coquin.

— Je vois... Il y a eu confrontation entre le commandant et toi?

— Non, pouffa-t-il, entre ses fleurs et Brigitte! Moi, j'étais sûr de tout perdre. Après un combat éperdu avec la neige et le froid durant lequel je m'étais fait d'avance à cette idée, je me suis présenté à elle. Les mains vides, sans espoir, sans but, et gelé de la tête aux pieds! Je crois que ça l'a émue. Lui, c'est sa prétention qui l'a perdu. Il lui a offert ses fleurs en disant qu'il avait toujours su qu'elle lui reviendrait. Il s'est condamné lui-même.

Les hommes accueillirent François à bras ouverts. Alain s'enquit de sa santé en lui trouvant une toux suspecte, Simon le félicita de plusieurs tapes sur l'épaule, Tom demanda de ses nouvelles. Les trois étaient franchement soulagés que ce soit François et pas Gérard qui l'eût emporté dans le cœur de Brigitte. Et dans le cercle qui se referma autour du jeune homme, on lui rendit hommage quelque temps encore avec tout le rituel des blagues et des bousculades viriles, qui sied au retour du guerrier.

Pendant que François réintégrait son cercle d'amis, Brigitte s'approcha de Julie et de Shirley.

— Je voulais m'excuser pour...

— Chut! chut! l'interrompit Julie en l'enserrant dans ses bras et en lui faisant la bise.

— Maintenant, commenta Shirley, il faut être heureuse avec l'homme que t'as choisi.

— C'est trop beau, leur confia-t-elle à voix basse, trop beau! Quelque chose de terrible risque de m'arriver!

— Hum... dit Julie en souriant. M'est avis que derrière cette grande certitude se cache ta petite peur d'être heureuse.

— Tu crois? fit Brigitte, ébahie. Mais est-ce que je vais jamais surmonter cette peur-là un jour?

— Eh bien, oui! répondit Shirley. Parce que...

La jeune fille passa le bras autour du cou de Brigitte pour lui faire part de son idée géniale:

— Parce que, vois-tu, je vais t'envoyer chez ma mère qui, soit dit en passant, m'a bannie de sa maison. Et je te garantis qu'après son sermon, tu seras guérie! Rien, absolument rien ne peut t'arriver de pire que ça!

Les femmes rirent de bon cœur et, bras dessus, bras dessous, se dirigèrent vers l'hôtel. Les hommes les suivaient à peu de distance.

— Ah! comme c'est étrange, s'écria Brigitte. Je me rappellerai toujours cet endroit comme le lieu du grand chambardement dans ma tête, une vraie révolution sans arme ni sang.

— Tout intérieure, continua Shirley avec un sourire de connivence. Moi, je n'aurais jamais cru pouvoir tenir tête à ma mère. Pourtant je l'ai fait à midi au téléphone, sans colère ni rancœur, très poliment mais fermement. C'est ma mère qui a perdu les pédales, et après son sermon, elle m'a raccroché au nez.

— Probablement pour pleurer, dit Julie.

— Non, ma mère est trop dure pour pleurer. Elle m'a élevée seule après que mon père nous a abandonnées, elle a travaillé d'arrache-pied toute sa vie. Même dans la souffrance physique, je ne l'ai jamais entendue se plaindre. Elle me répétait: «Faut s'endurcir pour arriver à quelque chose.»

— Elle ne voulait pas que tu souffres comme elle avait souffert peut-être, suggéra Brigitte.

— Ouais... En tout cas, elle s'y est prise bien mal. Elle est tellement possessive. Elle m'a dit qu'en m'installant avec Simon, je l'abandonnais à mon tour et qu'elle en mourrait. J'avais beau l'assurer que je lui téléphonerais et que j'irais la voir régulièrement, elle ne changeait pas de refrain: «J'ai le cœur fragile, tu devrais le savoir!»

Elle hésita quelques secondes, puis se risqua à demander:

— Et si c'était vrai, après tout?

— Je suis sûre que ta mère a le cœur plus solide que les nôtres réunis, la rassura Julie.

— C'est une sorte de... de... chantage affectif qu'elle t'a fait, déclara Brigitte, oui, du chantage affectif pour que tu redeviennes sa petite fille obéissante. Mais ta mère ne veut pas plus te perdre que moi je ne l'ai voulu! Elle va communiquer avec toi, tu vas voir, et plus vite que tu ne le penses!

Shirley regarda Brigitte et Julie, l'air incertain.

— Vous êtes fines en tout cas, se contenta-t-elle de répondre.

Se sentant impuissante devant la tristesse de son amie, Brigitte changea de sujet:

— Moi, mes parents, ils sont tellement vieux jeu!

— Ils sont vivants! s'exclama Shirley. Tu m'avais dit qu'ils étaient morts!

— Ah, oui? fit-elle, confuse. Je me racontais plein d'histoires... Je... Ah, c'est bien simple, je ne vous méritais pas, François et toi, je ne vous méritais pas...

—Tu vas pas encore t'excuser, hein? lui reprocha Shirley avec tendresse. Et puis t'as tourné la page, c'est ce qui compte. Alors continue, s'il te plaît... s'il te plaît...

L'insistance bon enfant de son amie encouragea Brigitte à reprendre la parole:

— Eh bien, mes parents n'arrêtaient pas de me faire la morale durant mon adolescence. J'avais seulement une sœur qui avait seize ans de plus que moi, une célibataire enragée qui était directrice de l'école du village. J'étais, en fait, un accident de parcours, et ils ont voulu faire une autre demoiselle respectable avec moi. J'étouffais carrément dans cette atmosphère. Alors je suis partie à dix-sept ans et je ne les ai pas revus depuis.

— Depuis cinq ans? s'écria Shirley qui n'en croyait pas ses oreilles.

— Cinq ans et quatre mois exactement.

Un long silence accueillit cette phrase pour le moins surprenante.

— Tu ne t'es jamais ennuyée d'eux? s'enquit Julie.

— Jamais... jusqu'à aujourd'hui.

Sur le dernier mot, sa voix avait tremblé. Et ses amies comprirent ce qu'aujourd'hui recelait de nouveau et de déterminant pour Brigitte. Un second silence s'imposa avant qu'elle poursuive:

— Après mon départ, je leur ai écrit deux fois par année pour leur donner quelques nouvelles, juste assez pour qu'ils ne s'inquiètent pas. En changeant constamment d'adresse, je m'assurais qu'ils n'entretiendraient pas une correspondance suivie avec moi. Dans leur dernière lettre, il y a quatre mois de ça, ils m'ont écrit qu'ils aimeraient connaître mes amis et ils m'invitaient à nouveau à la maison, moi et mes amis. Je crois que ç'a été très dur pour eux mon départ, mais je ne voulais pas le voir. Dès le début, ils ont été prêts à faire des compromis, c'est moi qui ne voulais pas.

Brigitte avait parlé d'une façon presque détachée, comme si ce récit ne la concernait pas directement. Mais ses amies sentaient qu'elle se forçait pour prendre ça à la légère. Elle ajouta à l'adresse de Shirley:

— Tu vois, si moi, je peux changer, ta mère le peut aussi parce...

Submergée par l'émotion, Brigitte ne put terminer sa phrase. Julie et Shirley accentuèrent la pression de leur bras sur celui de leur amie, et toutes trois continuèrent à marcher d'un pas accordé vers l'hôtel. Juste avant d'arriver à la porte d'entrée principale, Brigitte confia à Shirley:

— J'aimerais les revoir maintenant et leur présenter François... Toi et Simon, ça vous tenterait de venir avec nous?

— Oh oui! Qu'est-ce que tu penses?

— Toi aussi, Julie, si tu veux...

— C'est gentil, mais je crois que pour la première fois, vaut mieux y aller avec des intimes.

Puis d'un regard entendu, les femmes se tournèrent vers les hommes qui approchaient.

CHAPITRE 10

Il y a de ces instants dans la vie qui ont un goût d'éternité. L'instant où les regards de Tom et de Julie se croisèrent en fut un. Et Julie accepta que cela soit. Elle ne détourna pas son visage. Il verrait dans ses yeux ce qu'elle voyait dans les siens: fièvre, soif, désir de communion. Et pourquoi refuser la légèreté et la paix de cet instant de grâce puisque tout s'achèverait bientôt? Dans quelques minutes, ils rentreraient à l'hôtel et elle le quitterait pour toujours.

— Ça va? lui demanda Tom en arrivant à sa hauteur.

Ses yeux brillaient. Dans la nuit froide, toute sa personne dégageait un parfum, une chaleur et une virilité pénétrante qui semblaient l'envelopper.

— Ça va, répondit Julie avec douceur.

Et elle n'arrêta pas de sourire, avec un air qu'on aurait cru absent s'il n'avait pas aussi paru ravi. Et elle ne chercha pas à cacher le sentiment de plénitude que la présence de Tom lui procurait.

Il y eut un mouvement du groupe. On échangeait, on se déplaçait et Julie suivait, à demi-conscient des actes qu'elle posait. Toute son attention était rivée sur Tom; lui, il ne voyait plus qu'elle. Ils se souriaient toujours, se dévoraient des yeux, restaient côte à côte. Oui, pourquoi rougir de ce grand repos qu'avaient été ces dernières heures à l'hôtel, pourquoi avoir honte de redevenir elle-même, tout simplement elle-même?

Dans la salle à manger, une voix d'homme entonna un chant auquel d'autres voix se mêlèrent, et qui se propagea dans le hall où le groupe se tenait. Le cœur de Julie se serra et, avant qu'elle ne s'en rende compte, ses amis l'enlaçaient à tour de rôle. Alain, Shirley, Simon, François, Brigitte l'enveloppaient de leurs bras en chantant en chœur avec les voix qui s'élevaient de partout:

Ce n'est qu'un au revoir, mes frères
Ce n'est qu'un au revoir...

Tout l'hôtel vibrait de ce chant qui grossissait au fur et à mesure que d'autres voix, sur d'autres étages, le reprenaient à leur tour dans une ferveur presque religieuse.

Oui, nous nous reverrons, mes frères...

Elle reconnut Tom à la longue étreinte silencieuse qu'il lui fit et à laquelle elle s'abandonna sans fausse pudeur et sans retenue, le cœur gros, près d'éclater.

Ce n'est qu'un au revoir.

Brisa la magie la soudaine exclamation de Simon qui retentit, se détachant sur le fond des centaines d'autres cris qui résonnèrent au même moment:

— Nous vous invitons tous, Shirley et moi, à notre mariage dans dix mois! On doit tous se revoir, tous!

Applaudissements, félicitations et autres effusions suivirent cette annonce surprise qui se fondit dans la clameur générale de l'hôtel en fête où les prisonniers du temps se faisaient leurs adieux au milieu des rires et des larmes.

Julie participa à cette fête, gauche et distraite, malhabile dans ses tournures de phrases et ses gestes. Car elle restait tout entière absorbée dans le souvenir de la brève étreinte de Tom, de ses bras puissants et musculeux sur son corps enivré et épuisé. Elle aurait voulu être sereine, gaie, détachée, mais n'y parvenait pas. La voix de la raison reprenait lentement le dessus, lui rappelait que tout devait se terminer ici dans le hall... tout devait se terminer ici... se terminer ici... ici...

À l'invitation de Shirley de continuer le party, malgré le départ de l'orchestre, sa voix s'éteignit presque:

— Merci, mais je dois préparer mes valises.

— Moi aussi, dit Tom.

Julie tressaillit. Qu'avait-il dit? «Moi aussi»? Deux mots, et elle ressuscitait. Deux mots, et elle découvrait ce qu'était un cœur prisonnier libéré de ses chaînes. Il grouillait dans sa cage thoracique comme un animal donnant des coups de griffes et de dents. Il faisait mal, mal! Mais il était vivant!

Tout ne se terminerait donc pas ici, dans ce hall froid et impersonnel où les fêtards venaient s'agglutiner? Pas ici, pas encore? Elle l'accompagnerait donc jusqu'à sa porte de chambre? Il lui sembla que ces quelques minutes de sursis représentaient le dernier oasis avant qu'elle aborde le désert à perte de vue. Oui, à sa grande joie, pas ici.

Les dernières salutations furent faites avec plus d'allant. Et Julie se retrouva à marcher entre Alain et Tom dans les corridors de l'hôtel, au milieu d'une foule en liesse. Devant l'ascenseur, ils croisèrent le commandant en compagnie d'une jolie femme; il s'excusa de n'avoir pu les rejoindre ni au souper ni en soirée, faute de temps. Il devait superviser les préparatifs du départ. On sympathisa et on lui souhaita bonne nuit. Mais personne des trois amis n'avait été dupe: sans compter sa joue où des ongles avaient laissé leur empreinte, cette toute nouvelle conquête de Gérard expliquait assez clairement la raison de son absence.

Alain sortit de l'ascenseur au deuxième étage. Tom et Julie, au cinquième. La chambre de Tom faisant face à l'ascenseur, ils s'immobilisèrent dans le couloir presque aussitôt.

— Eh bien... commença-t-elle en tendant la main.

Il lui serra la main qu'il conserva dans la sienne.

— Eh bien, reprit-il, on ne peut pas se quitter sans le dernier verre d'amitié. Alain m'a offert un Dom Pérignon en quittant la table tantôt. On l'ouvre et on y goûte ensemble?

Il y eut une seconde d'hésitation, une seconde où Julie réalisa qu'un élément nouveau modifiait le scénario en béton qu'elle avait prévu pour la fin de la soirée. Pas ici, donc? Tout ne se terminerait pas ici non plus? Elle se sentit confuse, vaguement inquiète.

Il répéta sur un ton plus affirmatif qu'interrogatif:

— Un dernier verre, ensemble.

— Oui, oui, se ressaisit-elle, juste un dernier verre, d'accord. Mais après, les valises!

*

Il y avait bien dix minutes que Julie et Tom, appuyés sur le bord de la fenêtre, un verre de champagne à la main, contemplaient le ciel obscur au-dessus de la baie. Ils poussaient une exclamation joyeuse en y découvrant nombre d'étoiles et de constellations qu'ils nommaient au fur et à mesure.

— C'est comme découvrir un nouveau monde, soupira Julie.

— Oui, on ne sait jamais ce que va nous révéler notre prochaine exploration... là, par exemple!...

Tom avait pointé l'index vers le pan de ciel sur la gauche de Julie. Machinalement, elle y jeta un coup d'œil et, tandis qu'elle cherchait en vain ce qu'il s'y trouvait de remarquable, il commenta:

— Ce sera une galaxie encore inconnue des humains ou une femme encore inimaginable pour un homme...

Julie se tourna vers Tom pour constater qu'il ne contemplait pas la nuit étoilée derrière elle, mais bien son visage.

— Je ne savais pas que tu aimais la poésie, se défendit-elle timidement.

— Moi non plus.

— Ah! fit-elle en ne pouvant retenir un sourire. Je...

Elle s'interrompit brusquement.

— Dis-le, l'encouragea-t-il à voix basse.

Mais elle hocha la tête de gauche à droite, mi-grave, mi-amusée.

— Si tu ne le dis pas, c'est moi qui vais le dire.

Devant la «menace», elle ne céda pas davantage; après quelques secondes de silence, elle ajouta pourtant:

— Non, la poésie, c'est trop sérieux, il ne faut pas jouer avec ça.

— Je ne joue pas, je la célèbre. Alors?... Alors, tu pourras dire: «Je me rappellerai que cette poésie était pour moi, seulement pour moi.»

L'enchantement et l'accablement se lisaient tour à tour sur le visage de Julie qui regardait Tom droit dans les yeux. Un combat intérieur se déroulait en elle, qu'elle tentait de dissimuler.

— Avec le talent que tu as, dit-elle, ta poésie devrait s'adresser au monde et ne pas se restreindre aux petites gens comme moi qui vivent dans l'ombre.

— Je ne suis pas d'accord, parce que je sais qu'au bout du compte il n'y aura toujours qu'une seule personne au monde pour la comprendre vraiment.

Tom se rapprocha de Julie qui pointa aussitôt un doigt vers une étoile.

— On regarde le passé dans le ciel, Tom, le passé de notre système solaire, de notre galaxie. On est tout petits, tu sais, si petits par rapport à l'univers.

La voix était forte, assurée; Julie cherchait à repousser l'inconfort que la proximité de Tom éveillait en elle. Car elle sentait sa présence à ses côtés avec une acuité hallucinante: elle l'entendait respirer, retrouvait l'épice exacte de son parfum et percevait presque la texture de sa peau sous sa veste dont la manche frôlait la sienne.

Elle ajouta avec conviction:

— Je me dis souvent: devant l'infini, Julie, tu ne comptes pas.

Et elle avala une dernière gorgée de champagne. Il approcha la bouteille pour une deuxième tournée, mais Julie posa la main sur son verre et le remercia.

— Je me rappelle la première fois que je t'ai vue, dit-il en reprenant un ton feutré. Dans l'avion, tu sortais du sommeil. Tu avais l'air si... effarouchée.

— Et toi, si froid.

— À cette époque, expliqua-t-il, quand je n'étais pas en scène, j'étais méfiant à l'égard de tout le monde.

Tom faisait référence à une époque qui semblait si lointaine qu'il était difficile de croire qu'elle se situait à peine deux jours plus tôt.

— Ça fait si longtemps que ça? demanda-t-elle.

— Plus longtemps encore que tu ne peux l'imaginer.

— Eh bien, moi, une fois à l'hôtel, j'ai vraiment cru être prisonnière, mais j'ai découvert, petit à petit, que je n'avais jamais été aussi libre depuis de nombreuses années.

— Libre de quoi?

Julie esquiva la question en en posant une autre:

— Tu ne te méfies plus?

— Non, parce que je n'ai plus à jouer la comédie avec moi-même... ni avec toi.

Elle se redressa et, ce faisant, s'éloigna quelque peu de Tom. De la main droite elle se mit à pianoter nerveusement sur le bord de la fenêtre. Il continua:

— Jusqu'à aujourd'hui, je me méfiais des mots banals qui auraient pu trahir le fait que je suis un homme comme les autres, qui a, autant que les autres, besoin d'aimer et d'être aimé... Maintenant, je peux te l'avouer... Si j'étais si sûr de n'avoir posé aucun geste de séduction à l'endroit de Brigitte quand elle semblait elle-même assurée du contraire, c'est que je me retenais sans arrêt de ne pas les poser à ton endroit. Tu m'as habité en permanence dès l'instant où tu t'es précipitée contre moi dans l'avion en me suppliant de ne pas te lâcher.

Tom posa la main sur celle de Julie et ajouta:

— À mes yeux, tu es la seule personne qui compte dans tout l'univers.

Il avait prononcé ces mots avec tant de douceur et d'intensité que Julie en fut ébranlée. Leurs regards se croisèrent. Il s'était penché sur le bord de la fenêtre, elle s'était redressée à quelque distance de lui, mais en un rien de temps ils s'enlaçaient passionnément.

— Je t'aime, lui déclara-t-il.

Elle posa un doigt sur ses lèvres, l'implorant du regard de se taire, mais il refusa d'obéir:

— Tu me quitteras demain tel qu'entendu. D'ici là, rien ni personne ne peut m'empêcher de dire ce que je ressens pour toi...

Et faisant fi de l'interdit, Tom enserra le visage de Julie entre ses mains et lui embrassa les yeux, le front, les joues, avant de fondre sur les lèvres. Elle répondait à Tom avec sa propre faim qui lui creusait une sorte de trou béant dans le ventre. Elle se sentait molle, immensément molle, sans volonté propre et abandonnée à une étreinte qui lui donnait ce sentiment nouveau, paradoxal, de s'appartenir à la mesure même de sa capacité à se donner.

Cette lutte amoureuse et silencieuse des corps dura longtemps devant la fenêtre, dans la chambre que laissait dans la pénombre le peu de lumière filtrant par la porte entrebâillée de la salle de bains. Puis Tom souffla à l'oreille de sa compagne:

— Reste... reste jusqu'à demain.

— Non, mon amour, je...

À ces mots, Julie s'arracha à l'étreinte de Tom et allongea le bras devant elle en murmurant:

— Ne t'approche pas, je t'en prie!

Secouée par cet impétueux «mon amour» qui venait de lui échapper, elle restait figée sur place, le visage enfoui dans une main, sans baisser le bras. Que faisait-elle ici, dans cette chambre, mon Dieu, qu'y faisait-elle avec ce cri du cœur qui résonnait encore si fortement à ses oreilles?

Tom s'avança jusqu'à ce que la main ouverte touche son cœur et alors il s'immobilisa en posant les doigts sur ceux glacés de Julie.

— Assieds-toi, dit-il calmement pour l'apaiser, on n'a pas fini d'explorer le ciel et...

— J'aime mon mari, l'interrompit-elle en levant vers lui un regard terrifié, tu ne comprends pas?

— Je comprends que tu m'aimes peut-être un peu aussi, dit-il avec humilité.

Julie esquissa un mouvement de fuite, mais Tom garda la petite main prisonnière sur son cœur.

— Reste avec moi cette nuit, demain tu seras avec lui.

Elle chercha à se dégager en gémissant:

— Je ne veux pas te faire du mal, Tom, je ne veux pas!

Il libéra sa main aussitôt en répondant:

— Moi non plus.

Une fois libre, la femme resta clouée devant lui, dans une paralysie douloureuse.

— Je regrette d'avoir éveillé chez toi un sentiment auquel je n'ai aucun droit de répondre. Oublie-moi. Et sois heureux, Tom!

— Je n'ai besoin que de toi pour être heureux. Est-ce que tu le sais?

L'air dévasté, elle recula lentement en hochant la tête de gauche à droite.

Tom soupira et passa une main dans ses cheveux. Il ne tenait plus en place. Son regard erra dans le ciel durant quelques secondes, puis se tourna vers Julie qui se retirait vers la porte du couloir. L'anxiété qu'il lisait sur ses traits lui était intolérable. Dans l'immédiat, il était en effet plus troublé par les ravages de la douleur qui affectaient Julie que par le fait même qu'il la perdait.

Il fit un pas vers elle en tendant la main.

— Julie, ne t'en va pas dans cet état, tu m'inquiètes... Assieds-toi et parle-moi.

— Ne me retiens pas, balbutia-t-elle. Tu vois, j'ai déjà commencé à te faire mal.

— *Damn! Why are you...*

Tom s'arrêta net. Il posa les mains sur ses hanches, ferma les yeux durant quelques secondes, puis les rouvrit.

— Pourquoi est-ce que tu es si maternelle? demanda-t-il en refrénant son impatience. Tu ne m'as jamais fait mal. Si c'est impossible entre nous, eh bien, eh bien... c'est impossible! Je l'assumerai. Mais je t'aime trop pour accepter que tu te rendes malade comme ça.

Julie ne répondit pas. En une fraction de seconde, elle soupçonna qu'il essayait de la retenir par tous les moyens, y compris la parole, mais elle ne se laisserait pas prendre. Non, elle ne le détruirait pas, à son tour. Il fallait protéger Tom d'elle-même, car elle n'avait pas droit à tout ceci, aucun droit. Surtout, il n'y avait que le malheur qui croisait sa route, elle le savait depuis longtemps...

La porte n'était plus loin maintenant.

— Et pourquoi est-ce que tu es si indulgente envers tout le monde? reprit-il sur un ton provocateur et en se rapprochant d'elle. Pourquoi excuser les défauts et les lâchetés des autres, y compris les miens, alors que tu as les plus grandes exigences de vérité et de courage pour toi-même?

Julie ne broncha pas davantage. À travers ses larmes, elle aperçut la poignée de porte et posa la main dessus.

— Est-ce parce que tu veux te sentir supérieure? te croire au-dessus de leurs faiblesses? Tu pardonnes à tout le monde pour avoir le sentiment de dominer tout le monde?

Cette fois, les mots la frappèrent de plein fouet et elle riposta:

— Je ne suis pas maternelle ni indulgente! J'ai seulement la conviction que chacun livre les batailles qu'il se sent capable de gagner! Je n'ai à juger personne! Et je ne veux pas qu'on me juge.

— Non, bien sûr, mais au fond de toi, Julie, est-ce que tu ne me méprises pas un peu parce que j'ai recherché toute ma vie des femmes jeunes? parce que j'ai fréquenté ces dernières années celles dont j'avais souvent deux fois l'âge? Les grands principes d'égalité que brandissent les femmes ne sont-ils pas bafoués?

— Tu m'insultes avec tes insinuations! Je me suis toujours refusée à réduire la vie à des convenances, à des règles ou à des théories! Je croyais que tu le savais mieux que tout autre?

— Alors pourquoi te soumettre actuellement à une morale aussi rigide et étriquée?

Le coup avait fait mouche. Julie porta la main à son front, chercha ses mots et ne put se justifier:

— Parce que... C'est ma vie, Tom, ce n'est pas la tienne.

Il avait réussi! Elle avait conscience maintenant qu'il avait réussi à la retenir. Sa provocation, son agressivité n'étaient pas complètement feintes, mais sciemment exagérées. Il avait voulu qu'elle sorte d'elle-même, fût-ce par la colère, qu'elle se distancie de la détresse qui l'avait submergée. Il avait voulu qu'elle parle et elle avait effectivement parlé, et oublié de partir. Elle le perçut clairement dans l'expression du visage de Tom, empreinte davantage de quiétude que d'amertume.

Il ajouta sur un ton où le défi avait laissé place à la mélancolie:

— Tu regardes le monde défiler sous tes fenêtres sans daigner t'impliquer.

— Je suis mariée, Tom.

— Et l'amitié, tu te rappelles?

— Je suis ton amie.

— Si tu l'avais été, tu m'aurais dit mes quatre vérités.

— Non... Une amie, c'est quelqu'un qui écoute et qui pardonne parce qu'elle est de ton côté.

— Moi aussi, je suis de ton côté.

— Je sais, dit-elle après une hésitation.

— Non, tu ne le sais pas. Tu es mon amie, mais je ne suis pas le tien.

Sur ses gardes, Julie s'appuya contre la porte et répliqua:

— À quoi veux-tu en venir? Qu'est-ce que tu veux?

— Je veux une égale qui n'accepte pas que je me mente... parce que je veux que cette égale puisse aussi me parler à cœur ouvert.

— Ah, non, gémit-elle, non!

Au moment où la plainte s'éleva, Tom marcha lentement vers Julie, et elle ne chercha pas à fuir. Il la pressa à nouveau entre ses bras. Elle s'abandonna à l'étreinte avant de rejeter sa tête en arrière et de plonger son regard dans celui de Tom. D'une main, il caressait sa joue.

— Parle-moi, murmura-t-il. Je ne veux pas connaître toutes tes pensées, seulement celles qui te troublent. Qu'est-ce qu'il y a? Je sens que quelque chose ne va pas. Tu peux me faire confiance. Je veux être au moins un ami si... si je ne peux pas être ton amant.

Julie était exténuée. Son combat intérieur faisait rage. Tom avait encore réussi, par la manière douce cette fois, à la garder près de lui, à amadouer ses réticences, à nourrir le dialogue entre eux. Ouvrir la porte et s'en aller semblaient à Julie bien au-dessus de ses forces, pourtant il le fallait. Mais la voix de Tom était si invitante et enveloppante...

— Qu'est-ce qu'il y a, Julie? Pourquoi es-tu morte de peur?

Elle écarquilla les yeux et repoussa son compagnon de toutes ses forces. D'un même élan, elle ouvrit la porte. Alors retentit la remarque cinglante de Tom:

— Tu mens! Tu n'aimes pas Bernard!

La porte claqua aussitôt derrière Julie qui fulminait.

— Qu'est-ce que tu dis? s'écria-t-elle.

— Tu as peur de Bernard, tu ne l'aimes pas! Il te frappe, il te menace, il te terrorise, c'est ça?

— Comment oses-tu?...

La voix de Julie était dure, son regard, glacial. Elle avait de la peine à respirer.

— Si je suis vraiment un ami pour toi, pourquoi ne pas me le dire?

— Comment oses-tu? Comment? répétait-elle, outragée, hors d'elle-même.

— J'ose, parce que tu comptes plus que tout pour moi! Je ne suis pas aveugle, Julie! Bien avant que tu me dises que tu étais morte de peur, hier, dans la salle à manger, je le savais. Juste à ta manière de bredouiller son nom quand je t'ai aidée à sortir de l'avion, je t'ai sentie en danger. Un regard affolé comme le tien, je n'en ai jamais vu avant que tu te mettes en tête de le joindre par téléphone. T'as pas envie de le revoir! T'as pas plus envie de le retrouver que j'ai envie de te perdre! C'est lui qui te fait peur, hein? C'est lui? Dis-le-moi si je mens. Dis-le!

Elle ne contredit pas Tom et s'écroula à genoux. Il s'assit par terre devant elle.

— Écoute-moi, Julie, rien de mal ne t'arrivera. Rien, je te le jure. Je...

Il hésita, puis reprit d'une voix solennelle:

— *I don't want anyone to hurt you, you understand? Nothing and nobody will ever hurt you, if I can prevent it!*

Julie sourit à Tom à travers ses larmes. L'expression de son visage semblait remplie autant de reconnaissance que de stupéfaction devant les propos de Tom. Elle ouvrit la bouche, mais aucun son ne sortit.

— Oui, parle-moi, insistait-il en lui prenant doucement les mains, je ne te lâcherai pas.

— Je... ne... peux... pas, bégaya-t-elle.

Sa respiration était haletante. Elle claquait des dents sous l'effet de l'émotion. Tom enleva son veston et lui en couvrit les épaules.

— Essaie, je t'en prie, je te protégerai de tout, de...

— Mou... rir, l'interrompit Julie avec un filet de voix.

— Qu'est-ce que tu dis?

— Va... mourir, répéta-t-elle avec difficulté.

Abasourdi, Tom se contenta de répondre:

— Continue. Je suis là, Julie.

— Il... va... mourir, acheva-t-elle, le corps parcouru de frissons.

Elle observait fixement la respiration de Tom comme si elle cherchait à se rappeler comment inspirer et expirer, car elle avait épuisé ses dernières énergies. Alors, dans un ultime réflexe de défense, elle se recroquevilla sur elle-même, posa ses mains sur ses tempes et se força à se tenir immobile durant quelques secondes. Mais à peine s'était-elle recueillie qu'elle eut l'impression qu'une main invisible lui serrait la gorge. Elle se dressa sur ses genoux pour chercher son souffle, et se débattit dans sa nuit comme une aveugle. Son bras heurta la lampe sur la commode, qui tomba à la renverse.

Tom se précipita vers elle, lui saisit les poignets qu'il ramena derrière son dos et tenta par la force de son étreinte de maîtriser la violente agitation du corps de la femme.

— Respire, Julie! Respire lentement! Ne lutte plus!...

Julie était presque dans un état second quand il réussit, quelques minutes plus tard, à la faire s'asseoir et se blottir entre ses bras. De plus faibles secousses traversèrent le corps de Julie, mais il parvint à les apaiser dans un enlacement solide et tendre tout à la fois.

— Voilà, tu respires mieux, chérie, ça va passer...

Ils restèrent ainsi un long moment, soudés l'un à l'autre. La crise de panique de Julie se dissipait lentement, sa respiration se calmait. Elle sortait de sa demi-conscience avec de petits gémissements et en appelant Tom.

— Je suis là, Julie, ça va aller.

Puis elle ouvrit grands les yeux, comme si la conscience lui était revenue d'un coup. Tom dégagea son visage des mèches mouillées qui collaient à son front et à ses tempes, mais sans desserrer sa prise. Elle ne bougeait plus et se contentait de le regarder en silence, totalement impuissante, totalement vaincue.

— Tu veux... toujours... être mon ami? chuchota-t-elle.

Il acquiesça.

— Je suis ton ami, et je le resterai quoi qu'il arrive.

Julie se pelotonna davantage contre Tom, glissa la main sur sa chemise et la posa exactement sur son cœur. Et elle commença à parler tout doucement, avec le ton incrédule d'une enfant qui s'extirpe avec peine des décombres d'une maison.

— Tu sais ce que c'est d'avoir dix-huit ans, avec toute la vie devant soi, et tout perdre d'un coup?... J'ai survécu par miracle et le miracle, c'était Bernard qui entrait dans ma vie... Il m'a sauvée du désespoir... il m'a sortie de l'enfer où la mort de ma mère et la folie de mon père m'avaient plongée... il m'a soutenue sans relâche pendant des mois de dépression et de deuil... Alors le drame petit à petit s'est estompé. Je me retournais et il me semblait très loin derrière moi... Je marchais légère au bras de Bernard. Je réapprenais à rire et à chanter, à courir sur une plage, à me sourire à moi-même dans une glace. À nouveau c'était beau, à nouveau c'était bon... Je faisais des projets, je regardais passer les saisons, je m'arrêtais devant chaque vitrine d'un magasin pour enfants et rêvais...

Julie posa une main sur son ventre en grimaçant, puis la laissa glisser sur le plancher. Elle poursuivit d'une voix où la douceur avait laissé place à la rancœur.

— Un jour, Bernard a eu trente ans. Il est venu me chercher à la librairie après son travail. Le soleil inondait les livres et faisait miroiter leurs couvertures comme des pierres précieuses. Je m'en souviens très bien parce que c'est le dernier soleil que j'ai vu. Ce jour-là, il m'a appris qu'il n'avait plus qu'un an à vivre. Je ne savais pas qu'on pouvait avoir un cancer à trente ans.

Julie se raidit brusquement et se cramponna à Tom en criant:

— À trente ans, tu comprends? À trente ans!

— Oui, Julie, oui. Respire maintenant, chérie! Respire!

Tom lui massa la nuque énergiquement, mais en vain. Elle appuya le front sur la poitrine de son compagnon et laissa exploser sa colère:

— Je ne sais pas! Je ne sais pas combien de fois j'ai roulé sur l'autoroute la nuit, une fois Bernard endormi, assommé par les médicaments! Au volant, je hurlais de rage contre cette chienne de mort! Elle n'allait pas m'arracher l'homme de ma vie! Ah, non! elle n'allait pas me faire ça une autre fois! Il faudrait qu'elle me marche sur le corps avant! J'arracherais mon mari à ses griffes même si je devais y laisser ma peau! Jamais je ne me résignerais! Jamais! On est inséparables, lui et moi! que je hurlais au volant. Je le porterai sur mon dos, s'il le faut! Mais tu ne l'auras pas! Non! Tu ne l'auras pas comme tu as eu les autres!

Julie se dressa et se débattit à nouveau avec un fantôme. Mais après quelques secondes, elle s'effondra dans les bras de Tom.

— Ça va, Julie? Ça va?

Tom était toujours là. C'est ce qu'elle pensa en reprenant péniblement ses esprits: il est là, Tom est là... Et elle ouvrit les bras, le serra très fort contre elle. Quand elle reprit la parole, quelque temps plus tard, ce fut avec une voix de femme, étonnamment posée, étonnamment puissante, étonnamment déterminée. Elle se détacha de Tom et reprit sa place devant lui, assise en tailleur.

— Il avait un an à vivre avec moi, ça fait six ans que je l'arrache à la mort. Depuis, je ne rêve plus d'avenir, je tombe comme une pierre dans le sommeil à n'importe quelle heure du jour ou de la nuit, j'ai oublié ce que c'est que de respirer sans craindre que l'air puisse me manquer dans les secondes suivantes. Je ne savais pas, Tom, que pour combattre la mort à armes égales, je devais m'enterrer vivante, la regarder en face et ne plus la perdre de vue. Être aux abois nuit et jour, vingt-quatre heures par jour, 365 jours par année. Devenir comme elle, insensible aux rires, aux divertissements, à la beauté des choses, à tout ce qui rappelle la vie. Je ne savais pas qu'on pouvait presque en perdre la raison. Et je gobe des médicaments à mon tour pour atténuer les crises de panique que le stress des dernières années m'a amenées. Quand je ne perds pas le souffle, je peux perdre l'usage de mes jambes ou perdre connaissance ou...

Julie mit fin à l'énumération et attendit quelques secondes avant de conclure, résignée:

— Je suis devenue étrangère à mon propre corps... Tu comprends maintenant, Tom, pourquoi je me tais. Comment imposer à un ami un portrait de soi aussi... noir et désolant?

— Pas noir ni désolant, lumineux au contraire, merveilleusement lumineux, rectifia-t-il d'un ton admiratif.

Toute la tourmente de la dernière heure avait quitté Julie. La paix était retombée sur son champ de bataille intérieur. Elle et Tom se regardaient calmement, leurs visages à quelques centimètres l'un de l'autre.

— Je ne regrette rien, Tom. Je dois mener ma lutte jusqu'au bout parce que je suis faite ainsi. Je suis absolue dans l'amour comme dans l'amitié. Le prix que je dois payer est exorbitant parfois. Mais c'est la seule qualité qui vaille pour moi dans les sentiments.

Elle leva une main et caressa le visage de Tom.

— C'est vrai que je ne vis plus depuis longtemps, que je meurs de peur en pensant que l'on peut m'enlever Bernard à tout instant... Depuis que je t'ai rencontré pourtant, j'ai retrouvé la vie... toute la beauté de la vie dans ton visage. Mais je pense aussi que je porte malheur aux gens qui s'approchent trop de moi... puisque tous ceux que j'aime... oui, que j'aime... me quittent aussi brutalement. Alors vaut mieux... vaut mieux... que tu me laisses aller...

Le débit de Julie ralentissait. Sa main avait glissé sur sa jupe à son insu. Elle fermait les yeux et perdait conscience durant quelques secondes. Elle commençait des phrases, mais ne les terminait pas toutes.

— Va-t'en avant... avant que la mort qui m'entoure... Tu es trop beau pour...

Le front de Julie heurta l'épaule de Tom.

Elle était tombée endormie comme une enfant.

*

Quand Julie rouvrit les yeux, elle aperçut Tom allongé sur le dos à côté d'elle. Elle contempla son profil comme on contemple un paysage d'été, une fois l'hiver passé: avec l'émerveillement de constater que la

renaissance de la nature succède toujours à son endor-
missement.

Il ouvrit les yeux quelques secondes plus tard et se
tourna instinctivement vers elle qui était couchée sur le
côté. Il parut surpris.

— Je rêvais, dit-il, que tu me regardais.

— Et moi, je te regardais comme si c'était un rêve.

— Tu t'étais endormie, ajouta-t-il avec tendresse, je
t'ai étendue sur le lit et je me suis endormi avec toi.

— On dort depuis longtemps?

Il regarda sa montre et, malgré la pénombre, put
déchiffrer la position des aiguilles.

— Un peu plus d'une heure, l'informa-t-il.

— On dirait que j'ai dormi dix heures.

— Moi aussi, j'ai la sensation de me réveiller d'une
longue nuit de repos.

Elle cligna des yeux pour toute réponse. Ils se regardèrent en silence. Des gens fêtaient dans le couloir, mais
le bruit semblait leur venir d'une planète lointaine. La
chambre se résumait à la forme d'un lit, l'espace se confondait avec celui de leur intimité. Au-delà d'un visage,
le monde n'existait plus.

— Merci, Julie, de m'avoir fait ton ami, chuchota
Tom.

— C'est à moi de te remercier d'en avoir eu le désir.

À nouveau, le silence. Le temps s'écoulait en dehors
d'eux. Parler ne semblait plus avoir d'importance, même s'ils savaient qu'un seul mot suffisait pour changer
tout l'ordre des choses. Aucun d'eux ne bougeait, de
peur de briser la perfection du moment.

Puis, Julie osa. Elle glissa une main sur le matelas,
jusqu'au milieu de l'espace qui les séparait, et dit:

— J'aimerais revivre l'été.

Tom prit la main de Julie et s'approcha d'elle, en étendant un bras au-dessus de sa tête sur l'oreiller. Ils étaient si près l'un de l'autre que leurs souffles s'emmêlaient.

— Parle-moi de l'été, répondit-il.

Les paupières de Julie se fermèrent. Croyant qu'elle était épuisée, il ajouta:

— Mais si tu veux dormir, je vais te regarder dormir.

— Je n'ai pas sommeil, dit-elle en rouvrant les yeux. J'essayais juste de me rappeler certaines images de l'été.

— Et comment c'est l'été?

Elle attendit un moment avant de répondre. Il était complètement immobile à quelques centimètres d'elle. Elle voyait bien l'étincelle dans ses yeux et percevais toute la chaleur que dégageait son corps, mais c'était sa respiration qui la troublait le plus, le bruit de sa respiration qui lui rappelait celui des vagues léchant le sable des rivages.

— L'été, c'est le plaisir des grandes vacances loin de l'école ou du boulot... la légèreté des tissus sur la peau nue... la chaleur du soleil qui nous enveloppe dans un cocon... le vent frais au bord de la mer... le bruit des vagues qui...

Elle hésita.

— Qui?... reprit Tom, complice.

— L'été, c'est toi, mon amour! C'est toi!

Elle prononça ces mots d'une voix brisée et exaltée tout à la fois, en posant des doigts tremblants sur les lèvres de Tom. Il parut recevoir un choc et pressa les doigts de Julie contre sa bouche en fermant les yeux.

S'ils s'étaient enlacés avec fougue devant la fenêtre un peu plus tôt, maintenant ils se touchaient sur leurs vêtements avec une infinie précaution. C'était comme explorer un continent inconnu avec la lenteur qui sied à la gravité de l'entreprise. L'un et l'autre savaient qu'ensuite ils ne seraient plus jamais les mêmes.

Julie perdit définitivement les notions de temps et d'espace, comme celles de devoir et de faute. Elle se moulait au corps de Tom, épousait le moindre de ses mouvements, en se sentant molle, immensément molle, abandonnée, donnée sans aucun désir de se reprendre. Beaucoup plus tard, quand ils furent nus et qu'il la couvrit de son corps, une plainte animale s'éleva d'elle. Plus tard encore, quand il plongea les doigts dans sa chevelure et qu'il lui ouvrit les cuisses d'une pression de ses hanches, elle s'entendit le supplier:

— Entre en moi, mon amour! Entre en moi!

Longtemps après, alors qu'ils se pénétraient encore l'un l'autre et avaient perdu toute limite d'eux-mêmes, un long cri s'échappa d'elle, violent, voluptueux, interminable. Et juste avant de s'évanouir, elle sentit les vagues mourir une dernière fois à ses pieds, le soleil la transpercer de part en part, et le bonheur la soulever comme une plume dans le vent.

C'était la vie, enfin.

C'était l'été.

CHAPITRE 11

La valise était ouverte sur le lit. Julie la remplissait lentement, en allant et venant dans sa chambre à pas de tortue, l'air rêveur. Quatre heures au cadran de son réveil: encore trois heures avant le départ de l'avion, avant de perdre Tom à jamais, pensait-elle. Elle ne voulait pas dormir et gaspiller cette précieuse et invisible «possession» qui se poursuivait en esprit et de mémoire.

Car tout son corps résonnait encore de la volupté de leur union. Elle sentait les mains de Tom courir sur elle, leurs caresses la faire tressaillir de plaisir. Et elle ne voulait pas oublier. Pas encore. Ni les yeux fiévreux qu'il avait posés sur elle, ni les mots brûlants qu'il lui avait glissés à l'oreille. Elle avait remis les vêtements de la veille parce qu'elle retrouvait l'odeur de Tom dans leurs plis; elle n'en changerait qu'à la dernière minute. Et le châle dans lequel elle se drapait préservait intacte, lui semblait-il, la forme de leur étreinte.

À contrecœur, Julie avait donc quitté la chambre de Tom qu'elle avait laissé endormi sur les draps. Car elle ne désirait pas qu'un sentiment de culpabilité la surprenne à l'improviste et entache la pureté de ce moment où le don de soi avait été total et réciproque. Elle respectait trop Tom et l'aimait trop, pour risquer de voir leur rencontre se réduire à une liaison sordide, sous l'effet de remords incontrôlables.

Mais quand elle dut se résoudre à quérir la photo de Bernard sur la table de chevet et à lever les yeux sur lui, ce qu'elle avait évité soigneusement de faire dès son retour à la chambre, elle s'affaissa sur le bord du lit. Le châle glissa de ses épaules.

— Je t'aime, Bernard, je t'aime tellement, dit-elle tout haut en pressant la photo sur sa poitrine.

Et ce fut bien pire que ce qu'elle avait présagé. Elle n'avait aucun repentir! Aucun regret ne venait adoucir sa peine ni atténuer sa souffrance. Aucun sentiment de culpabilité ne ternirait le souvenir de Tom. Non, le terrible châtiment qui s'abattrait sur Julie serait d'avoir à vivre deux amours en même temps.

Car sa rencontre avec Tom s'avérait aussi essentielle que l'avait été celle avec Bernard. Le remords aurait pu l'aider à oublier Tom, mais le remords aurait supposé qu'elle n'aimât pas Tom à l'égal de Bernard. Non, elle n'avait jamais cru possibles deux attachements de cette force dans une vie, et pourtant cela lui arrivait à elle, maintenant. Pourquoi? Car elle n'était pas naïve. Si deux amours se partageaient son cœur, un seul trouverait place dans son corps, dans sa maison, dans la réalité de son quotidien. Et c'était celui pour Bernard, d'abord et avant tout, toujours.

Elle était perdue dans ses réflexions, quand un coup retentit à la porte. Elle déposa la photo de Bernard dans sa valise, et courut ouvrir.

— Je ne te dérange pas, j'espère? s'exclama Shirley qui s'engouffra dans la chambre sans attendre de réponse.

Dans sa joie débordante, la jeune femme ne remarqua ni la déception de son amie ni le tailleur qu'elle portait encore à cette heure avancée de la nuit. Vêtue de sa robe de chambre, elle sautillait sur place.

— Je ne pouvais pas attendre davantage! Simon m'a suppliée de ne pas te déranger à cette heure-ci, mais je savais que tu ne dormais pas! Personne ne dort dans cet hôtel!

L'excitation de Shirley était à son comble et elle s'exclama:

— Pardon! Elle m'a demandé pardon!

Ceci dit, elle tournoya comme une toupie dans la chambre. Devant l'incompréhension de Julie, elle s'expliqua:

— C'était maman, il y a à peine une demi-heure au téléphone! Elle m'a demandé pardon et m'a souhaité tout le bonheur possible avec Simon!

La jeune femme se mit à danser avec Julie, mais celle-ci trébucha.

— Tu es toute pâle, remarqua Shirley qui soutenait son amie. Tu es sûre que ça va?

— Oui, oui, c'est juste un étourdissement, balbutia-t-elle, tu sais avec la fatigue, l'énervement du départ...

Shirley la conduisit jusqu'au lit. En l'aidant à s'asseoir, elle aperçut la photo de Bernard.

— Ah! c'est lui, l'heureux homme! s'écria-t-elle. Tu l'aimes beaucoup, hein?

Julie hocha la tête et répondit:

— Plus que ma vie, je crois.

— Tu dois avoir hâte de le retrouver.

— J'ai hâte de le voir bien vivant et souriant, à mes côtés.

Et changeant aussitôt de sujet, Shirley s'exclama:

— Mais te rends-tu compte? Elle me demande pardon! Ah! ce que j'ai hâte de la serrer dans mes bras! De lui répéter que mon amour pour Simon n'enlève rien à mon amour pour elle! Elle doit comprendre ça, maintenant, hein?

— Oui, répondit Julie qu'un frisson parcourut, elle doit comprendre.

Là-dessus, la jeune femme s'élança vers la porte.

— Je ne te dérangerai pas plus longtemps! Mais je voulais que tu le saches la première, après Simon!

Comme elle allait ouvrir, elle s'arrêta et jeta un regard derrière elle.

—Tu sais, quand tu m'as parlé... Tu m'as fait saisir... Je voulais juste te dire...

Mais incapable de terminer ses phrases, elle se précipita vers Julie pour lui donner une grosse bise et conclure:

— Je t'aime beaucoup!

Elle sortit comme elle était entrée, en coup de vent.

Comment survivre à un tel ouragan de jeunesse et de vitalité? Julie s'allongea sur le dos, à côté de la valise, et chercha à retrouver son calme. Elle effleura des doigts la photo de Bernard, tout en songeant à la belle tête de Tom couchée sur l'oreiller. Le retour à la réalité s'annonçait plus difficile que prévu.

Elle était étendue depuis un moment quand on frappa à nouveau à la porte. Elle s'empressa d'ouvrir, mais resta interloquée.

— Oh, je te dérange, n'est-ce pas? fit Suzanne dans sa chaise roulante. Alors on se reverra plus tard, repose-toi.

Mais à peine le couple s'était-il mis en mouvement que Julie se ressaisit:

— Pardonne-moi, Suzanne! Pardonnez-moi, tous les deux! Je ne suis pas dans mon assiette. Entrez, je vous en prie!

Elle avait déjà repris les guidons des mains d'Alain et poussait la chaise de Suzanne dans la chambre. Mais le docteur resta derrière.

— Vous ne voulez pas entrer, Alain? demanda Julie.

— C'est ma femme qui voulait te dire deux mots, répondit-il, moi, je vais faire quelques pas pour me dégourdir.

Le tutoiement d'Alain étonna un peu Julie, mais toute sa vie depuis trois jours ne l'étonnait-elle pas encore davantage? Elle n'en fit pas plus cas et referma la porte.

— Vous vous êtes levés bien tôt? s'informa-t-elle à Suzanne qui s'était placée à côté du lit.

— On n'arrivait pas à dormir, et il y avait de la lumière sous ta porte.

— Je suis contente de voir que tu vas bien, répondit Julie qui s'affala sur le lit.

— Moi, je ne suis pas rassurée par ton état.

La jeune femme soupira et courba le front. Ses vêtements froissés et sa pâleur ne pouvaient échapper à une nature sensible comme celle de Suzanne.

— Pourtant, je suis très heureuse, affirma Julie.

— Oh! oui, cela se voit, dit la visiteuse avec attendrissement, il n'y a pas de doute, cela se voit...

Puis après un moment de silence, elle chuchota:

— Alors, c'est que tu l'aimes.

— Profondément, avoua la jeune femme sans penser s'enquérir de qui Suzanne pouvait parler.

Mais celle-ci avait bien deviné et caressa le bras de Julie figée dans son abattement.

— Ton mari est chanceux de vivre avec une femme qui puisse aimer, sans calcul ni mesure, lui confia-t-elle. Car la majorité d'entre nous sommes incapables d'aimer, sommes impuissants affectivement.

— Pas toi, en tout cas.

— Oh, Julie, si je te disais que cette dernière année je me suis davantage aimée que je n'ai aimé? En n'acceptant pas cette souffrance d'avoir perdu Judith, j'essayais d'abord de me protéger. Alors je le répète, ton mari est...

— J'aimerais te croire, l'interrompit Julie mal à l'aise, mais...

— Pas de mais, il faut me croire, insista-t-elle. Pour le bonheur de ton mari et le tien. Et pour le bonheur de Tom aussi.

Julie tomba à nouveau dans une douloureuse prostration.

— Je suis tellement heureuse, Suzanne... En même temps, je me sens anéantie par ce bonheur.

Après une pause, elle répéta:

— Complètement anéantie.

— Julie?... Julie?

L'appel réitéré de Suzanne tira la jeune femme de son apathie. Elle leva les yeux sur sa compagne dont le visage parcheminé adopta une expression des plus affectueuses.

— J'ai besoin de toi, Julie.

— De moi?

— Oui, de toi. J'ai un secret à te dire.

La curiosité que Suzanne avait fait naître en Julie ranima quelque peu son énergie.

— Tu sais que je vais avoir bientôt soixante et onze ans. Eh bien, j'ai recommencé à faire des rêves de grossesse et d'accouchement. Je sais que je ne retrouverai jamais Judith, et je sais la pleurer maintenant. Mais cette envie qui m'obsède...

Elle se tut, intimidée.

— Qu'est-ce qu'il y a, Suzanne?

— Si tu le désirais...

Suzanne hésita encore, puis déclara:

— Sois ma fille, Julie, je deviendrai ta mère. Je me ferai du souci pour toi, bien entendu. J'aurai les inquiétudes et les tracas de mise pour ta santé et ton bonheur, c'est sûr. Mais j'aurai aussi le privilège de veiller sur quelqu'un, de le protéger en pensée, de prier pour lui avant de m'endormir.

— Ta confiance me bouleverse, mais...

— Ne te défends pas, Julie. Laisse-moi l'immense plaisir de m'en faire pour toi. Parce que mon offre n'est pas totalement désintéressée. C'est si réconfortant d'être celle qui rassure, console, soulage, d'être celle qu'on appelle dans les moments difficiles.

— J'abuserais de ta bonté...

— Jamais. J'ai besoin de toi, Julie, pour que tu aies besoin de moi. Mais peut-être est-ce que tu me crois folle? C'est vrai qu'Alain me trouve sensée, mais il vit depuis si longtemps avec moi qu'il ne peut plus me juger objectivement. Et il veut tant que j'aie des projets qui me redonnent goût à la vie, que tous les projets pour lui s'équivalent... Mais le seul projet qui me tienne à cœur est celui dont je te parle... Alors, dis-moi franchement. Je suis folle, n'est-ce pas?

Julie se leva, fouilla dans son sac et revint s'age-
nouiller au pied de Suzanne, une brosse à cheveux à la
main.

— Quand j'avais de la peine, dit-elle, quand j'étais
malade ou quand je craignais l'examen scolaire du len-
demain, maman me demandait d'aller chercher ma
brosse. Je me tenais entre ses genoux, je fermais les yeux
et elle brossait mes cheveux en chantonnant. Je savais
que le brossage terminé, j'aurais les idées plus claires, la
douleur serait moins lancinante et mon cœur ne se bri-
serait pas complètement en deux.

Suzanne tendit la main comme l'aurait fait une
mendiante et Julie lui fit l'aumône avec humilité. Alors
les larmes aux yeux et en entonnant une mélodie de sa
jeunesse, la mère fit glisser la brosse dans les cheveux
lustrés de sa nouvelle fille.

Quand Julie rouvrit la porte, un peu plus tard, en
poussant devant elle la chaise d'une Suzanne resplendis-
sante, Alain était appuyé contre le mur du couloir. Il
baissa une revue qu'il tenait devant ses yeux, en poussant un soupir:

— J'espère, la petite, que tu ne seras pas trop tan-
nante avec tes questions?

— Alain! fit Suzanne d'un air de reproche.

— Mais je savais que Julie te dirait oui, ma chère
épouse. Personne ne peut te refuser quoi que ce soit.
Regarde-moi!

La chère épouse jeta un regard incertain sur sa fille
qui la rassura:

— J'étais espiègle autrefois. Alain me réapprendra.

Soulagée, Suzanne commença aussitôt à prendre son
rôle au sérieux et ajouta avec sollicitude:

— Alors, ne t'en fais pas. On descend avec toi à Dorval et on te reconduira chez toi. D'accord?

*

Julie avait à peine eu le temps d'aller à la fenêtre et de voir le soleil poindre à l'horizon qu'un pressentiment s'empara d'elle. Elle revint sur ses pas et ouvrit la porte. Tom se tenait là, la main levée, prêt à frapper. La surprise réciproque les pétrifia durant un instant, puis ils s'enlacèrent impétueusement.

— Pourquoi ne pas m'avoir réveillé? répétait Tom en serrant Julie dans ses bras de toutes ses forces. Pourquoi ne pas m'avoir réveillé?

Ils tournoyèrent dans la chambre en s'embrassant, en palpant le corps de l'autre, comme si l'autre venait d'échapper au pire désastre et qu'on l'avait cru perdu à jamais.

— Je ne voulais pas que tu souffres plus qu'il ne faut, répondit-elle. Et je voulais te garder en moi le plus longtemps...

Ils s'étreignaient toujours, mais avec le geste plus lent, la caresse plus précise et insistante, le baiser plus long et humide. Ils étaient debout, ivres, titubant l'un avec l'autre, perdant l'équilibre au même moment. Puis Tom appuya Julie contre le mur, la tint là en ramenant délicatement ses cheveux par en arrière pour dégager son visage aux traits fins et dit:

— Julie, ma Vie!

Elle s'agrippa aux bras musclés, tendus entre eux comme une dernière barrière, et lança:

— Je suis à toi, Tom!

La phrase claqua comme un fouet.

— Dis-le encore! supplia-t-il.

— Je suis à toi! À toi! À toi! À toi!

Affolé par les plaintes de son amante, Tom plaqua son corps contre le sien. Il lui pressa les seins, la taille, les hanches avec ses mains habiles et lui releva la jupe: elle fondait déjà sous ses doigts! Il haletait dans son cou: la mer reviendrait donc une dernière fois mourir à leurs pieds! Elle se sentit soulever sous des bras puissants et appelée à s'ouvrir à nouveau. Elle sentit la chaleur pénétrer avec force et douceur entre ses cuisses, et son intérieur couler d'abondance sur l'homme. Et elle se mit à pleurer dans son bonheur.

C'était ça l'été, la nudité de la chair offerte, l'impudeur totale du don, le désir insatiable d'appartenir à l'homme.

— Je t'aime, murmurait-elle au milieu des sanglots et gémissements de plaisir confondus.

Et quand l'homme la coucha sur le sol et finit de la prendre, le cri aussi revint dans sa gorge, le cri de la chair changée en eau, le cri de l'amour transmué en volupté, le cri de la jouissance en l'autre...

Ils reposaient sur le lit, le corps nu, la tête enfoncée dans les oreillers. Ils se dévisageaient en silence comme si chacun avait voulu imprégner en lui les traits de l'autre. Parfois un doigt suivait le sourcil ou traçait le contour des lèvres, parfois une main soupesait les cheveux ou étudiait la forme d'une oreille. Le désir était assouvi, mais l'amour ne le serait jamais.

Puis ils échangèrent à voix basse avec l'impression d'échapper encore pour quelque temps au monde qui les attendait.

— Tu pleurais et tu jouissais, chérie, je n'ai jamais entendu pareille musique.

— Tu me ramènes de force à la vie, Tom, ça me fait mal et ça me fait du bien en même temps.

— Tu sais, je suis content qu'il soit quelqu'un de très bien. Pour toi, je n'aurais pas toléré le contraire.

— Oh, Tom!

Julie enfouit son visage dans le cou de son amant, ébranlée par une telle marque d'amour de sa part. Être heureux pour elle que son mari soit un homme bien. Après ça, comment douter que Tom ne l'aimât véritablement, avec la même générosité et le même respect pour elle qu'elle-même avait pour lui et pour Bernard?

— Julie, est-ce que je peux t'écrire?

La question sembla la prendre de court et elle répondit d'une voix mécanique:

— Oui.

— Je t'envoie une lettre dans un mois, O.K.?... On pourrait correspondre chaque mois, si tu veux. Comme ça, on resterait en contact.

Julie se cramponna à Tom et enfouit son visage encore plus creux dans son épaule.

— Moi aussi, Julie, moi aussi..., se contenta-t-il de répondre en berçant son amante dans ses bras.

Après un long moment d'effusions silencieuses, Tom déclara avoir une idée et se leva pour aller à la salle de bains. Il revint se placer au pied du lit, quelques minutes plus tard, trempé de la tête aux pieds. Il souleva Julie dans ses bras et la porta sous la douche qui débitait un jet tiède. Il lui lava les cheveux et le corps avec une délicatesse extrême et une sensualité vive mais contenue. Elle ne le quittait pas des yeux, ne s'étonnait plus de rien sauf de cette séparation imminente d'avec lui. Elle se laissait faire avec une candeur qui, en d'autres circonstances, aurait éveillé en Tom le désir impérieux de la prendre à nouveau, de la faire sienne et de l'entendre gémir sous ses caresses. Mais là, cette candeur le désarmait et lui inspirait une tendresse débordante, pleine de prévenances.

Une fois qu'il l'eut asséchée et enroulée dans une serviette, il la souleva et l'emporta. Il l'étendit sur le lit et s'assit à côté d'elle. Tandis qu'il lui caressait les cheveux, elle gardait les bras noués autour de son cou. Après un moment, il dit d'une voix chevrotante:

— Je vais faire ma valise et me préparer. Ne touche à rien. J'ai le temps de revenir t'aider...

Il déposa un baiser sur le front de Julie et se résolut à défaire le collier de ses bras. Puis il se rhabilla en vitesse et sortit.

*

Quarante-cinq minutes plus tard, Tom cogna à la porte discrètement, se nomma et, devant le silence qui s'ensuivit, entra. Il vit d'abord la valise à côté de la porte, puis Julie, assise sur le pied du lit, habillée et coiffée.

— Tu es déjà prête? s'exclama-t-il avec un enthousiasme forcé. Et moi qui pensais t'être utile.

Julie ne répondit pas. Immobile, le regard fixé sur le plancher, une main abandonnée sur le couvre-lit et l'autre enserrant un tube de pilules, elle semblait impénétrable. Il s'agenouilla devant elle.

— Si je te donne un coup de main, dit-il, est-ce que tu...

Elle fit un signe de tête négatif et se jeta à son cou. Ils restèrent enlacés de longues minutes. D'une voix saccadée, Julie murmura:

— Tu m'as dit un jour que j'avais un problème avec les «sorties». Tu avais raison. Pardonne-moi tout ce cirque que je t'impose...

— Tu ne m'imposes rien.

— Le cirque c'est entrer en crise, et ne plus pouvoir se tenir sur ses jambes...

— Je te porterai.

— Ni respirer normalement... ni voir à trois pieds devant soi...

— Je te donnerai mes yeux, mon souffle, s'il le faut.

— Pardonne-moi.

— Pourquoi?

Tom prit Julie par les épaules et se recula. Il la regarda droit dans les yeux et répéta:

— Pourquoi? Je t'aime, Julie. Je t'aime parce que tu ne joues pas avec les sentiments, parce que les mots que tu prononces ont le poids des actes, parce que tu n'es qu'émotion, pure émotion. Ce que tu ne dis pas avec des mots, tu le dis avec ton corps. C'est tout. Il y a une partie de toi qui veut rester avec moi, et une autre qui veut rejoindre ton mari. C'est ça?

— Je t'aime, dit-elle d'une voix brisée, mais je l'aime, lui aussi.

— Je sais, Julie, répondit-il en la pressant contre lui. Tu n'as pas à me demander pardon, pour rien. Ta fragilité, c'est l'envers de ton immense pouvoir d'aimer. Pour le reste, Julie, je vais t'aider comme tu m'as aidé. Mais ne me lâche pas, je t'en prie, ne me lâche pas...

DEUXIÈME PARTIE

CHAPITRE 12

L'air froid de janvier mordait les joues de Julie qui marchait rapidement dans la neige. Quelques pas encore, et la chaleur de sa librairie l'abriterait pour le reste de la journée. Elle n'aurait plus à ressortir, et c'était tant mieux, car le ciel nuageux n'annonçait rien de bon.

Elle avait terminé les commissions urgentes du matin et avait en main le cadeau surprise pour Shirley, cueilli dans la boutique voisine d'un artisan. Bien sûr, une somme généreuse était déjà parvenue au couple en guise de cadeau de mariage. Mais cette pierre précieuse qu'elle avait fait monter en broche, elle voulait l'offrir à Shirley personnellement, l'après-midi de la cérémonie, dans cinq jours.

En poussant la porte de la librairie, elle aperçut Évelyne, une jeune employée récemment embauchée, qui époussetait les livres sur les étagères.

— Bonjour, madame Hénault! lança Évelyne. Vous avez l'air gelé.

— L'humidité nous transperce littéralement.

— Vous savez qu'on annonce une tempête pour l'après-midi?

— Alors vaut mieux rester encabané.

Julie se dirigea vers la porte au fond de la librairie en fouillant dans son sac à main.

— C'est toujours comme ça, les lundis? demanda Évelyne d'un ton découragé et en jetant un regard circulaire sur le local vide.

— Les lundis matin, oui. Les clients arrivent au début de l'après-midi habituellement. Ah, mais j'y pense, vous allez avoir la visite d'un certain monsieur... voyons, j'oublie son nom. En tout cas, il m'a dit qu'il viendrait ce matin chercher le livre sur les peintres impressionnistes que j'ai placé sous la caisse. Vous pourrez vous débrouiller?

— Certain! s'écria Évelyne, toute à la joie de n'avoir pas à se tourner les pouces durant toute la matinée.

— Bon, je serai dans mon bureau si vous avez besoin de moi.

Julie sortit des clefs de son sac. Au moment de déverrouiller la porte de son bureau, son employée s'exclama:

— J'oubliais! Est-ce que vous allez au Salon du livre de Paris, cette année, madame Hénault? Quelqu'un a téléphoné de l'Association...

— Non, l'interrompit Julie sèchement, c'est trop de travail, trop d'imprévu. S'ils rappellent, dites-leur. Il y a autre chose?

Intimidée par la vive réaction de sa patronne, Évelyne fit signe que non de la tête et se remit à l'époussetage.

Dans le bureau, le manteau jeté négligemment sur le dossier d'un fauteuil glissa par terre. Et Julie, accoudée à son secrétaire, les mains sur le front, ne le remarqua pas. Elle cherchait son souffle. Après quelques minutes d'immobilité, sa respiration redevint normale. Alors, elle baissa les bras, ouvrit le tiroir central du secrétaire et fouilla au fond.

Elle en extirpa un petit paquet, enveloppé dans un papier à motif floral, et un dépliant touristique qu'elle déposa sur le sous-main. Une photographie de l'hôtel de Saint John's, qu'elle avait habité le printemps précédent, figurait sur le prospectus. Elle se perdit dans ses pensées à la vue de l'hôtel, tout en serrant le petit paquet sur son cœur. Puis elle rangea le tout soigneusement.

Deux cadres en argent occupaient le coin gauche de sa table de travail. Dans le plus grand, la photographie de ses parents; dans l'autre, celle de Suzanne et d'Alain. Julie caressa des doigts les visages de Julienne et de Florian, puis sourit à ses amis qui étaient devenus des parents proches, attentionnés.

Dans le coin droit, se trouvait le cadre qui l'avait suivi à Saint John's et qui montrait le visage serein de Bernard à qui elle adressa un «je t'aime» ému. Derrière lui, se côtoyaient deux petits cadres en porcelaine. Dans l'un, Shirley et Simon riaient aux éclats au milieu de leurs moutons. Shirley se tenait le ventre d'un air coquin, même si elle n'était grosse que de deux mois. Dans l'autre, Brigitte et François fêtaient leur six mois de fréquentation. Ils ne vivaient pas ensemble et formaient un couple qui travaillait encore fort à s'apprivoiser à sa première histoire d'amour.

Julie regarda sa petite famille avec amour et dévotion, chercha en elle le courage qui venait de lui manquer, et le retrouva. Elle étala sur la table de travail la paperasse administrative à remplir et, après un soupir, se mit à l'ouvrage. Au bout d'une heure, on frappa à la porte. Au «oui?» de Julie, Évelyne entra et exposa son problème:

— Excusez-moi, madame Hénault, mais votre client n'est plus intéressé par les impressionnistes. Il veut vous parler.

Julie sortit du bureau, aperçut le livre d'art sur le comptoir, près de la caisse, mais pas le client.

— Il est parti?

— Euh... je ne crois pas. Ah, tenez, il est là-bas, dans la section des romans.

Julie entrevit le client drapé dans un manteau gris, au col relevé, et s'approcha derrière lui en disant avec courtoisie:

— Si vous avez changé d'idée pour...

— Je n'ai pas changé d'idée, l'interrompit-il en se retournant.

— Tom!

Le cri du cœur avait échappé à Julie. Elle se reprit aussitôt pour demander, l'air grave:

— Qu'est-ce que tu fais ici?

— Alain m'a fait parvenir l'invitation au mariage de Shirley et Simon qui n'osaient pas m'écrire directement. C'est tout.

Le silence s'abattit sur eux, gêné, lourd. Puis Tom s'informa:

— Toi, ça va?

Pour toute réponse, Julie se tourna vers son employée qui les observait avec curiosité.

— Je dois m'absenter, Évelyne, pour une heure environ. Ce n'est pas le monsieur qui doit venir pour le livre.

La jeune femme étouffa un rire derrière sa main et s'adressa à Tom:

— Excusez-moi, je vous ai donné le prix du livre avant de vous demander votre nom, je n'ai pas...

— Ce n'est rien, coupa court Julie. Mais téléphonez donc au client pour l'avertir que son livre est bien arrivé.

Et pendant qu'Évelyne s'acquittait de sa tâche, Julie se tourna vers Tom et lui dit:

— Si on allait parler ailleurs? Ici, je ne suis pas à l'aise. On habite à l'étage.

— Je comprends, fit-il respectueusement, tu n'as qu'à choisir l'endroit.

Ils ne dirent plus un mot. À l'extérieur, ils marchèrent d'un pas vif malgré les trottoirs mal déblayés et bordés de bancs de neige. Aux intersections, où un arrêt ou un ralentissement était obligatoire, ils s'examinaient à la dérobée. Parvenus à la rue Saint-Denis, ils entrèrent dans un café, presque vide, à l'exception de deux clients assis tout au fond. La ville semblait avoir été désertée à cause du mauvais temps.

Après que le serveur leur eut apporté leur boisson chaude, Tom s'accouda à la table, pencha légèrement la tête de côté et étudia le visage de Julie. Droite comme un i sur sa chaise, la tête haute, elle fixait sa tasse de thé dans laquelle elle tournait une cuillère. Absorbée par son occupation, elle donnait l'impression d'avoir les yeux clos.

— Tu as beaucoup changé, dit-il avec douceur.

— Oui, je crois, fit-elle sans perdre de sa raideur.

— Mais tu ne pourrais pas en dire autant de moi.

Elle leva sur lui des yeux interrogateurs.

— Non?

— Non. Je suis resté le même.

Julie sentit le sang monter à sa tête et elle baissa à nouveau le regard. Ah! ce qu'elle aurait donné pour que le café soit plein de monde! Le bruit des chaises, le bavardage des gens et le va-et-vient affairé des serveurs auraient contribué à dédramatiser leur rencontre. Elle s'était bien doutée qu'un jour il lui faudrait vivre cette scène, elle s'y était même préparée mentalement pour en finir au plus vite quand elle se présenterait, mais même avec les meilleures résolutions, elle ne pouvait s'empêcher de trouver tout cela triste et stérile.

— Tu as reçu mes lettres? s'enquit Tom.

Elle acquiesça d'un signe de tête. Il ajouta alors d'un ton qui trahissait une incompréhension douloureuse:

— Pourquoi ne pas m'avoir répondu?

— Ma situation n'a pas changé, expliqua-t-elle mécaniquement, et j'ai cru...

— Il n'était pas question de s'écrire dans l'espoir que ta situation change, il me semble. C'était pour garder le contact.

— J'ai cru... Je crois que c'est impossible entre nous.

— Je le sais depuis qu'on s'est connus à Saint John's.

— Alors je vais te le dire autrement: je ne veux plus de contact.

En élevant la voix, Julie venait de perdre la réserve qu'elle affectait depuis le début de la rencontre. Sa main trembla quand elle porta la tasse à ses lèvres. Tom le remarqua et poursuivit comme si de rien n'était:

— Durant les quatre premiers mois, devant le silence qui accueillait mes lettres, je me disais que tu étais peut-être malade ou que la santé de ton mari se détériorait... Puis j'ai rencontré Suzanne à New York. Tu sais qu'elle est venue me voir en coulisse à la fin de ma pièce, celle que j'avais répétée avec toi justement. Je lui ai demandé d'abord si ta santé était bonne. Elle m'a dit oui. Alors je lui ai demandé pourquoi tu n'étais pas venue avec elle. Elle m'a dit que tu ne le voulais pas. C'est pourquoi j'ai arrêté de t'écrire, mais je voulais te revoir. Malheureusement, je n'ai pas pu me désengager de mes obligations avant aujourd'hui...

— Il était inutile de venir. Tu aurais pu écrire.

— Alors que tu ne répondais pas à mes lettres?

Décontenancée, elle répliqua:

— Ou téléphoner.

— Et risquer de tomber sur ton mari?

— Non, bien sûr, fit-elle, hypertendue. Je veux dire que tu aurais dû comprendre par mon silence.

— Comprendre quoi?

— Ce que je t'explique.

— Mais tu ne m'expliques rien. Tu juges une situation sans m'en parler... À moins que tu ne m'aimes plus.

Julie hésita avant de déclarer:

— J'aime Bernard.

— Je sais, et je ne t'ai jamais demandé de ne plus l'aimer. Mais moi, est-ce que tu m'aimes encore?

— J'aime Bernard. Je n'ai rien d'autre à dire. C'est fini entre nous, Tom.

— C'est impossible entre nous parce que tu aimes Bernard ou c'est fini entre nous parce que tu ne m'aimes plus?... Et qu'est devenue notre amitié dans tout ça?

— Tu n'as pas le droit de me poser de telles questions! s'emporta-t-elle. Tu n'as pas le droit de me tourmenter avec tes subtilités de langage! Si c'est impossible, c'est que c'est fini, c'est terminé. En amitié comme en amour.

Julie posa aussitôt les mains sur ses tempes, dans un effort de concentration, puis s'excusa. Elle ajouta avec une note de tendresse:

— S'il te plaît, Tom, s'il te plaît... Séparons-nous avec élégance.

— D'accord. Je voulais qu'on se parle, tu me mets devant le fait accompli, mais j'accepte, commenta-t-il avec froideur. Je repars pour New York ce soir même. Je communiquerai avec Alain et j'inventerai une raison pour expliquer mon départ précipité. Au fait, je ne suis pas le seul à m'être mépris. Attends que je trouve sa lettre.

Il fouilla dans les poches de son manteau plié sur une chaise.

— La voilà.

Il la jeta sous les yeux de son interlocutrice qui lut un passage au hasard: «On a tous bien hâte de te voir, même Julie qui garde le meilleur souvenir de ton amitié. Je sais que ça lui fera le plus grand bien de renouer avec toi. Elle n'en parle pas, mais je le devine dans ses yeux.»

— Alain n'a pas à se mêler de mes affaires! dit-elle avec colère. Et je serai loyale envers Bernard avant de satisfaire ses élucubrations.

Tom ne put cacher davantage sa déception et répondit d'un ton acerbe:

— Tu as beaucoup changé depuis...

Il regarda la date en tête de la lettre.

— Depuis un mois et demi.

— Oui, j'ai changé, et j'aurais pu changer même en un seul jour. Tu as pu le constater toi-même à Saint

John's... C'est ma vie, si tu te rappelles, ce n'est pas la tienne.

Tom ne broncha pas, mais le coup avait porté. Il replia la lettre d'Alain dans son portefeuille d'où il sortit un billet, puis chercha des yeux le serveur.

Consciente de la rudesse de sa dernière répartie, Julie bredouilla:

— Je ne voulais pas...

— Tout a été dit, rétorqua-t-il durement, et c'est très bien ainsi. Je te dépose chez toi avec mon taxi ou préfères-tu rester ici?

Elle balbutia:

— Ici...

Le visage sévère, Tom se leva et enfila son manteau.

— Garçon! cria-t-il avec impatience.

Au même moment, une femme qui se dirigeait vers la sortie, s'arrêta net en apercevant Julie et ouvrit grands les bras.

— Mais c'est toi! vraiment toi! s'exclama-t-elle d'un ton haut perché. Je n'en crois pas mes yeux!

Elle s'approcha et fit la bise à Julie, en lorgnant l'homme, debout, qui attendait l'addition. Bah! un autre, dépourvu de manières, songea-t-elle, et qui n'avait pas su d'un regard en coulisse rendre hommage à sa grâce toute féminine! En l'ignorant ostensiblement, elle éleva davantage la voix:

— Ah! ma chère, quelle surprise! Si tu savais la peine que je me suis donnée pour te rejoindre ces derniers mois! Malgré tous mes rendez-vous, je me disais: Linda! Linda! n'oublie pas la plus fidèle de tes clientes qui venait t'acheter une rose chaque matin, sous la pluie ou la neige! Tu lui dois bien un téléphone! Et je t'ai téléphoné, mais on m'a dit que tu étais toujours partie à New York.

Elle se recoiffa dans la glace suspendue au mur avant de continuer:

— Tu as dû apprendre par mes employés que j'ai ouvert une deuxième boutique à Montréal-Nord?

Elle se remit du rouge à lèvres.

— Qu'est-ce que tu veux, les fleurs, ça se vend plus là-bas qu'ici au centre-ville! Alors je préfère travailler là où subsistent encore de vrais hommes.

Elle jeta un œil méprisant sur celui au manteau, le nez plongé dans un journal qu'il venait de rafler sur une table.

— Tu veux ouvrir une librairie à New York ou quoi? Bon, ma chère, je dois partir! Le travail me prend complètement! Et mes amants...

Elle rit sous cape.

— Tu sais que j'ai divorcé d'avec Paul? Ah! les hommes me font la vie dure, depuis! Mais que veux-tu? Regarde-nous! La beauté et la classe, ça a ses privilèges!

Elle se rua vers la sortie, au grand soulagement de Julie qui avait pâti de son monologue en blêmissant un peu plus à chaque phrase et en ne sachant plus où jeter les yeux. Mais à peine «la classe» avait-elle franchi le seuil de l'établissement qu'elle se retourna, rouvrit la porte et glissa son visage grimé dans l'ouverture. Elle cria:

— Ah oui, mais où ai-je la tête! Toutes mes condoléances! Bernard me manque à moi aussi atrocement! Bye-bye!

Julie s'arracha de la banquette en visant les toilettes, mais ses jambes flageolèrent au point qu'elle retomba brutalement sur le siège. Du coude, elle renversa sa tasse de thé.

Le serveur, qui n'avait rien manqué du manège, s'arma d'un chiffon et nettoya le dégât. Une main sur le visage, la cliente ne dit mot, et il resta discret. Mais il ramassa avec plus de contrariété les feuilles du journal éparpillées sur le plancher et marcha en maugréant vers le coupable, Tom, qui s'était précipité vers la vitrine et fixait Dieu sait quoi d'un air ahuri.

— Voici l'addition, fit-il en tendant le papier d'un geste brusque.

Le client ne sembla pas avoir entendu. Excédé, le serveur répéta:

— Ben! Vous voulez payer ou quoi?

Le client tressaillit, puis s'éclaircit la voix avant de répondre sans se retourner:

— Servez-nous la même chose.

Le serveur soupira, vida la table et revint quelques minutes plus tard avec deux autres tasses. Julie n'avait pas bougé. Il haussa les épaules et s'en fut.

Devant la vitrine, Tom faisait un effort surhumain pour se dominer, pour ne pas exhiber le trop-plein d'émotion qui venait de s'abattre sur lui avec une violence inattendue. Et c'était l'espoir, un espoir fou, démentiel, qui s'emparait de sa volonté. Car c'était plus fort que lui. Il n'arrivait pas à se sentir humilié ou insulté par le fait que Julie lui avait caché la mort de Bernard. Au contraire.

Par la rigueur même de son rejet, par ses accès de colère et sa parfaite insensibilité à leur histoire passée, Julie lui paraissait maintenant témoigner d'une attitude trouble et suspecte. Se pourrait-il après tout qu'elle n'ait pas oublié leur rencontre à Saint John's? Qui protégeait-elle, si ce n'était plus son mari? De quoi se défendait-elle, si ce n'était plus de la trahison? Et le doute le tenaillait. Mais il avait peur aussi, affreusement peur de se retourner et de faire face à nouveau à Julie, peur qu'après ce second regain d'espoir, la désillusion soit cette fois insurmontable.

Tant pis! Il fallait se jeter à l'eau et en avoir le cœur net. Même s'il ne devait jamais la reconquérir, il devait savoir si elle l'aimait encore.

Tom enleva son manteau et retourna s'asseoir.

Les épaules affaissées, le regard perdu, Julie semblait inatteignable. Alors d'une voix exempte de tout reproche et vibrante de sincérité, Tom dit simplement:

— Je t'offre toutes mes sympathies.

Elle se contenta de balbutier:

— Je dois partir.

— Tu voulais rester tantôt.

D'un ton impératif, elle répéta:

— Je dois partir!

Elle se leva une seconde fois, chancelante, et s'appuya sur les tables.

— Je vais te ramener chez toi, déclara-t-il en prenant le bras de sa compagne.

Mais ce contact fit pousser un «non!» paniqué à Julie qui réintégra brusquement sa place. Un silence gêné s'ensuivit durant lequel elle évita le regard de Tom.

— Je devine combien le départ de ton mari a dû te bouleverser, reprit-il avec sollicitude.

Les lèvres de Julie tremblèrent. Embarrassé, il ajouta:

— Je ne serais pas venu, si j'avais su... Alain ne m'en parle pas dans sa dernière lettre. C'était il y a deux ou trois semaines, je suppose?

Julie fit un signe de tête négatif et murmura:

— Dix...

Elle s'interrompit, étranglée par l'émotion.

— Dix semaines, je comprends, constata-t-il. Alain n'a pas osé me l'apprendre lui-même.

À nouveau, Julie hocha la tête de droite à gauche et chuchota:

— Dix mois...

Interloqué, Tom resta muet durant quelques secondes. Puis, il reprit d'une voix presque inaudible:

— Veux-tu dire...

— Oui, fit-elle dans une plainte, au matin... le matin après notre dernière nuit.

Et une main sur la bouche, elle fonça vers la sortie. Tom lança un billet sur la table, enfila son manteau et agrippa celui de Julie. À l'extérieur, la neige avait commencé à tomber et brouillait la vue. Après un moment d'incertitude, il reconnut la silhouette amaigrie de sa compagne qui se glissait d'un pas incertain entre les rares piétons déambulant sur la rue. En quelques secondes, il l'avait rejointe et lui lança:

— Tu n'es pas raisonnable.

Comme elle ne s'arrêtait pas, il se plaça devant elle et la força à s'immobiliser. Il lui jeta son manteau sur les épaules en répétant avec douceur:

— Tu n'es pas raisonnable, Julie.

— Tu crois? répondit-elle. Aujourd'hui je suis raisonnable, mais c'est trop tard. C'est là-bas que je ne l'ai pas été.

— Tu parles de Saint John's?

Elle acquiesça en se mordillant les lèvres. Et ils se dévisagèrent franchement, intensément, pour la première fois depuis leur rencontre. La neige tombait sur leurs visages et fondait aussitôt en laissant des gouttelettes qui ressemblaient à des larmes. Certains passants les étudiaient avec sans-gêne, d'autres les observaient à la dérobée ou les ignoraient complètement. Mais ils s'en foutaient éperdument. En cet instant précis, la ville était à eux, et le moment de vérité avait sonné.

Après un effort, Julie déclara:

— C'est lui qui m'a poussé à aller au Salon du livre, qui m'a répété qu'il serait le premier à me retenir s'il ne se sentait pas bien. Mais après mon départ, il s'est trouvé plus mal, et il a voulu me le cacher. Et moi... moi... je n'ai rien senti de ce qui allait arriver... Ah! Comment ai-je pu être aussi aveugle?

Elle fit une pause et avala sa salive avant de conclure avec effroi:

— Je l'ai abandonné!

Elle étouffa une plainte dans sa main et continua son chemin. Elle avait fait quelques pas chancelants dans la neige quand il la saisit par le bras:

— Tu ne l'as pas abandonné. Tu as été à ses côtés durant quatorze ans, à chaque seconde de sa vie, et il le savait.

— Tu dis qu'il le savait? C'est toi qui me dis ça? fit-elle d'un ton cruel.

— Oui, moi! répliqua-t-il avec fermeté.

Un rire nerveux secoua Julie. Puis elle continua d'une voix cassée:

— Il avait fait jurer à son infirmière de ne rien me révéler de son état quand j'étais à Paris. Et quand je lui ai parlé de l'aéroport Charles-de-Gaulle, trois jours avant... sa voix ne l'a jamais trahi. Il a fait venir un ami auprès de lui les deux derniers jours et lui a fait jurer la même discrétion. Quand j'ai enfin pu téléphoner de l'hôtel à la maison, le soir... le soir de... Luc m'a répondu avec naturel. Il m'a informé que Bernard dormait et qu'il avait demandé de ne pas être réveillé avant l'heure de leur rendez-vous. Même là, Tom, même là, je n'ai rien vu!... Luc rencontrait Bernard, comme il le faisait régulièrement. Il était supposément arrivé bien en avance pour préparer leur séance de travail. Et je n'ai rien perçu dans tout ça d'étrange!

Épuisée, elle baissa le front et resta immobile devant Tom qui leva les mains au-dessus de sa tête, au-dessus de ses épaules, mais n'osa pas la toucher.

— Il était à l'agonie, à ce moment-là, poursuivit-elle, et il a dicté une lettre pour moi à Luc qu'il a terminée ainsi...

Elle prit une profonde respiration et récita:

— «... ton combat est fini, le mien commence avec l'acceptation de ce qui vient. Je n'ai aimé que toi. Je pense à toi en cet instant précis comme je sais que tu penses à moi où que tu sois. Je te libère enfin, sois heureuse.»

Julie jeta alors sur Tom un regard éploré:

— Mais à cet instant précis... je ne pensais pas à lui.

— Tu te trompes, Julie, à cet instant précis, tu me répétais combien tu l'aimais.

— Non! explosa-t-elle. Tu dis ça parce que tu m'aimes! Tu préfères minimiser notre histoire plutôt que d'aggraver ma faute. En réalité, au moment où il me parlait, je t'aimais! je t'aimais!

— Tu l'aimais aussi.

— Oui, mais je l'abandonnais en partie...

Et elle ajouta, le regard tourmenté:

— C'est pour ça qu'il a abandonné complètement la vie!

— Julie, ça ne tient pas debout, ton histoire. Il était malade avant que tu partes.

Elle reprit avec plus d'obstination encore:

— Je suis partie et il s'est affaibli! Je t'ai aimé et il s'est retrouvé tout seul! J'avais oublié qu'il tenait à l'existence par un fil, par ma volonté, par ma pensée!

À court d'arguments, Tom trancha avec fermeté:

— Tu oublies surtout que c'était sa vie et pas la tienne! C'était son combat et pas le tien! Avec toutes ces années de lutte, Julie, tu as perdu de vue que ton mari existait en dehors de ta volonté ou de ta pensée. Est-ce que tu as compris au moins ce qu'il t'a écrit?

Julie voulut s'éloigner, mais Tom la ramena doucement contre lui et murmura:

— Il a bien dit qu'il voulait te libérer, continua-t-il, qu'il voulait que tu sois heureuse. Écoute-moi, Julie. Tu sais que je t'aime et que je respecte l'amour que tu avais pour ton mari. Je veux seulement une réponse et je m'en irai après, s'il le faut. Est-ce que tu m'aimes encore?

Julie se débattit dans les bras de Tom pour lui échapper, mais il la tenait fermement:

— Dis-moi non et je m'en vais.

Elle le repoussa de toutes ses forces et s'élança sur le trottoir. Il la rattrapa et la plaqua contre le mur de briques d'un immeuble.

La voix brisée, il répéta:

— Tu m'aimes?

Elle détourna son visage qu'elle cacha sous son bras.

Du coup, il la libéra de sa prise et recula. Quelques secondes à ne plus savoir quoi faire, puis il se dirigea vers la bordure du trottoir. Il scruta la circulation automobile, perdu dans ses pensées: où allaient ces gens avec cette neige qui tombait à gros flocons? où restait-il seulement à aller? Il venait de héler un taxi quand son cœur se serra et un pressentiment le saisit entier. Il se retourna: Julie était là, la main levée, prête à lui toucher l'épaule.

— Oui, dit-elle.

Tom l'enlaça. Dans l'étreinte, Julie défaillit presque. Il l'entraîna vers le taxi en la pressant contre lui. Il tendit un billet de cent dollars au conducteur avec ordre de rouler où il voulait et de les laisser en paix. Ce que le conducteur fit avec joie.

Ils s'embrassèrent avec passion, se défirent de leur manteau pour retrouver la chaleur et l'odeur de l'autre, recréer leur intimité. Le monde défilait derrière les vitres des portières, mais ils ne voyaient qu'eux-mêmes. Une seule banquette de taxi, et tout l'univers s'y abrège.

Tom savait maintenant qu'elle l'aimait, qu'elle était demeurée celle qu'il avait connue et aimée à Saint John's parce qu'elle était émotion, pure émotion. Et c'était ça, l'important, se répétait-il, en glissant les doigts sur la vitre contre laquelle s'écrasaient les flocons de neige, qu'elle l'aime tout simplement. Il ramena la main dans les cheveux de Julie qu'il caressa longuement avant de rabattre le manteau gris sur ses épaules comme il l'aurait fait d'une couverture.

Il la sentait fragile dans ses bras et en même temps si forte, habitée d'une telle volonté que... Suffit! Il chassa les pensées noires qui l'avaient envahi. Il voulait savourer encore la joie incomparable du moment, étreindre sa bien-aimée, goûter à ses lèvres, entendre son souffle dans son oreille. Sans s'interroger. Ce moment viendrait bien assez vite. Car quelque chose couvait sous le calme apparent de Julie. Il ne la sentait pas toute à lui, même s'il la sentait éprise de lui. Il chercha un mot pour définir ce qui lui échappait en elle, et ne le trouva pas.

Il aurait voulu différer encore le moment de l'explication, mais l'inquiétude le gagnait. N'y tenant plus, il posa une main sur la joue de Julie et lui demanda:

— Pourquoi est-ce que tu ne veux pas venir vivre avec moi à New York?

— Tu vis à New York maintenant? répondit-elle.

— Tu n'as pas lu mes lettres?

— Je les ai enveloppées dans un papier précieux qui appartenait à ma mère, je les ai serrées contre mon cœur chaque jour, mais j'étais incapable de les lire.

Tom embrassa le front de Julie, tout en lui redemandant:

— Mais maintenant, pourquoi tu ne veux pas vivre avec moi?

— Qu'est-ce qui te fait penser ça?

— Je ne sais pas. Peut-être ta manière un peu affolée de m'embrasser, comme si tu me voyais pour la dernière fois...

Julie se pressa contre lui. N'y avait-il donc rien qu'elle puisse lui cacher? Il lisait en elle parce qu'il savait l'écouter, l'approcher, l'atteindre. Il avait trouvé la voie de son âme un jour, et par cette voie, il pouvait à présent sonder son esprit, deviner sa pensée avant même qu'elle l'eût exprimée verbalement. C'est le privilège de ceux qui s'aiment, pensa-t-elle, d'entrer dans le cœur de l'autre comme on entre chez soi.

Mais maintenant, comment pourrait-elle lui expliquer les raisons qu'elle avait de ne pas écouter son cœur qu'elle lui avait pourtant donné?

— J'ai été te voir sur scène à New York, Tom, à plusieurs reprises.

Il était surpris.

— Tu étais donc là avec Suzanne?

— Oui, mais je lui avais demandé de ne pas te le dire quand elle est allée te féliciter. Puis j'ai prétexté des rencontres d'affaires à New York pour que Suzanne revienne à Montréal sans moi, et que je puisse retourner au théâtre seule. Quatre semaines plus tard, j'y retournais encore. J'ai été t'entendre près d'une trentaine de fois. Je ne pouvais pas me passer de ta voix, de ta présence physique sur scène. Et là, dans la dernière rangée au parterre, à l'abri des regards, je pouvais t'aimer librement et totalement. Je me rappelais toutes les phrases que nous avions déclamées ensemble à Saint John's, et j'ai appris le reste. À chaque représentation, je te donnais la réplique mentalement, cette fois sans m'arrêter, et jusqu'à la fin où je mourais dans tes bras et où tu me jurais un amour éternel... Dans cette dernière rangée, j'ai pu tout te donner. C'était comme une cachette connue de moi seule.

— Pourquoi ne pas être venue au moins me parler? On aurait pu chercher à...

— Je ne pouvais pas, l'interrompit-elle. C'était ça ou rien!

— Je comprends, dit-il pour calmer l'angoisse qu'il sentait naître en elle.

— On m'avait assuré, Tom, qu'il y aurait prolongation de la pièce, mais quand j'ai voulu réserver des billets de Montréal, la téléphoniste m'a appris qu'il n'y en aurait pas à cause d'un imprévu. Et tous les billets pour les dernières représentations étaient déjà vendus... C'est pour ça que je ne peux pas vivre avec toi.

— Je ne comprends pas. Tu veux dire parce que tu ne seras plus à l'abri de ta conscience et de ton sentiment de culpabilité à l'égard de Bernard?

— Non. Parce que je suis devenue folle à l'idée que je ne te reverrais plus sur scène à cause d'un imprévu. J'errais dans la maison comme une âme en peine et je ne me comprenais plus moi-même. Cet incident m'a rendue plus malade que la vue de Bernard dans son dernier sommeil, au retour de Saint John's... Parce que je savais encore où porter une rose à Bernard chaque matin, mais je ne savais plus où déposer celle que j'avais l'habitude de coucher par terre, à côté de la sortie des artistes, à l'arrière d'un théâtre de New York...

Julie se redressa sur la banquette et, dans ce mouvement, Tom ressentit cruellement la distance physique qu'elle mettait entre eux. Elle conclut:

— Je ne peux pas me permettre de te manquer, une seconde fois. Je ne pourrais pas vivre avec cette idée-là.

—Tout le monde meurt.

Julie ne semblait plus l'écouter, et continua d'un air absent et d'une voix atone:

— Si je t'aimais dans la solitude et le secret, tu ne me quitterais jamais.

— Julie! s'exclama-t-il, incrédule.

— Le jour où j'ai pensé ça, j'ai retrouvé mes forces. J'ai repris goût à mon métier. Je ne craignais plus les lendemains parce que j'étais pleine de toi et comblée par ton souvenir.

— Et la peur dans tes yeux, ce matin? objecta Tom. Je l'ai vue.

— J'ai recommencé à avoir peur quand tu es apparu. J'ai peur en ce moment parce que je t'aime comme je ne croyais pas pouvoir aimer. J'ai peur de te voir souffrir un jour et d'être à nouveau impuissante à changer quoi que ce soit.

— On ne peut pas contrôler la vie ni maîtriser totalement son destin! s'emporta-t-il. C'est le hasard, après tout, qui nous a réunis. Pourquoi ne pas lui faire davantage confiance?

— Je ne veux pas contrôler la vie, Tom, je veux préserver notre amour intact, c'est tout.

— Si on se quitte, qui te dit que je ne croiserai pas une autre femme sur mon chemin?

— Tu peux aimer une autre femme et vivre avec elle, mais c'est elle qui souffrira, pas moi. Parce que toi, tu seras devenu ma pensée et ma respiration. Ton souvenir se sera mêlé à mon quotidien autant qu'à mes rêves. Le reste n'a plus d'importance.

Tom enfila son manteau et aida Julie à remettre le sien. Il faisait un effort pour se dominer, et dit:

— Ce que tu appelles le «reste», c'est ton corps et c'est le mien. On ne peut pas vivre désincarnés, comme de purs esprits! Dans la solitude, tu vas m'oublier, tout va s'effacer.

— Si ton image s'efface, c'est que tu seras devenu moi, complètement moi. Et plus rien alors ne nous séparera.

Tom passa une main dans ses cheveux. Il n'avait plus rien à perdre, sauf Julie. Et Julie l'aimait. Alors, soit, il la ravirait à elle-même!

— Ton émotion t'emporte trop loin de la réalité, la mit-il en garde. Elle t'aveugle sur tes propres désirs.

— Peut-être, concéda-t-elle. Mais je n'ai que la force de t'aimer toute ma vie, Tom, pas celle de te perdre un jour.

— Tu te mens! Ce n'est pas vivre avec moi qui est au-dessus de tes forces, mais vivre tout court. Tu t'enterres avec la mort à nouveau, sauf qu'il n'y a plus de raison de le faire.

— Non!

La voix de Julie avait retrouvé son tonus.

— Si! Tu préfères la mort des sens à notre passion! Mais moi, je ne veux pas combattre la mort parce qu'on ne peut pas la vaincre! Et si tu défends ton mari, eh bien, je ne veux pas rivaliser avec un mort parce qu'on est toujours perdant!

Tom se pencha vers le conducteur et lui donna l'adresse de la librairie. Puis il s'adressa à sa compagne avec autorité:

— Tu vas venir à moi, Julie, tu vas venir me rejoindre dans la Vie, et rien de moins!

Il regarda sa montre et ajouta:

— Mon avion part dans trois heures. Je t'attends à l'aéroport.

— Non, ne m'attends pas!

Le visage de Julie avait retrouvé son expressivité.

— Je t'attends là-bas! Et tu vas venir jusque-là, jusqu'à la Vie! J'ai tout mon amour à te donner, tu as tout le tien à me donner, mais là-bas, pas ici dans la mort.

Elle baissa les paupières.

— Julie, regarde-moi!

Ah, ces yeux farouches qu'elle leva sur lui! Mais combien il les préférait au regard mort qu'elle lui avait offert précédemment. Et tout à coup, Tom trouva le mot qu'il cherchait plus tôt en pensant à Julie: résistance. Sa résistance à l'amour s'avérait aussi grande que sa soumission à l'amour pouvait être totale. Mais il vaincrait cette résistance!

— Julie, si tu mets notre amour au-dessus de tout, viens!

— C'est pour cette même raison que tu ne dois plus m'attendre!

— Tu m'as dit, un jour, que je te ramenais à la vie. Tu te souviens? Ça te faisait mal et ça te faisait du bien en même temps.

Julie rougit vivement, et dans cette rougeur, il sut qu'il la touchait au plus profond de son être.

— Tu te souviens combien tu pleurais en même temps que tu gémissais de plaisir? Tu te souviens?

Elle détourna la tête.

— Eh bien, dis-toi qu'aujourd'hui ça te fait très mal parce que tu n'as jamais eu autant la liberté de tes actes et autant le désir de jouir dans mes bras!

Cette affirmation plongea Julie dans une colère noire et un mutisme entêté. Quand le taxi arrêta devant sa librairie, elle ouvrit la portière d'un mouvement brusque. Le visage en feu et, à nouveau, tout entière présente à Tom, elle s'écria:

— Tu ne peux pas me...

Mais le regard de Tom l'empêcha de terminer sa phrase. Ce regard... ce regard insoutenable!

Elle resta sur le trottoir jusqu'à ce que le taxi ait disparu de sa vue, et plus longtemps encore. Jusqu'à ce qu'elle sente ce quelque chose en elle qui s'était définitivement brisé, ce quelque chose qu'on appelle parfois le temps. Le temps avait éclaté en elle en mille morceaux... Julie Hénault n'était plus une créature du temps. Mais depuis quand, au fait?

CHAPITRE 13

Julie ne retourna pas à la librairie et monta directement à l'étage. Quel vide! Quel silence! Elle fit le tour des pièces, examina l'ameublement, la décoration, les rideaux avec le sentiment d'être étrangère à sa propre maison.

C'était vrai qu'elle ne l'habitait plus vraiment depuis le décès de Bernard. Elle vivait dans la librairie, travaillait le soir dans son bureau et mangeait au restaurant. Elle ne rentrait dans son appartement que pour dormir ou recevoir à souper ses amis de Saint John's: Alain et Suzanne, Shirley, Brigitte et leurs amoureux. Pourtant elle eut cette impression bizarre qu'il y avait encore plus longtemps qu'elle n'était pas entrée dans ces grandes pièces lumineuses.

Car elle ne se rappelait pas tous les objets qu'elle y voyait, s'étonnait de la disposition de certains meubles. Ah, tiens, les draperies du salon, elle les croyait bleues, non pas vertes. Mille petits détails lui soulignaient combien son intérieur lui était peu familier. Et comme un souvenir qui se précise lentement pour avoir trop longtemps séjourné dans un recoin de la mémoire, la lumière se fit graduellement en elle.

Elle n'habitait plus ce logement depuis six ans, elle s'en était détachée dès l'instant où elle avait su pour son mari. Malgré son refus obstiné de la maladie de Bernard, elle avait commencé à faire le deuil de leur foyer. Malgré sa négation acharnée du temps et de ses échéances, elle avait engagé des professionnels pour rafraîchir les murs de la maison et demandé à des amis s'ils auraient l'amabilité de réaménager certaines pièces. Elle ne s'en était plus occupée personnellement. Parce que l'épreuve que devait surmonter Bernard exigeait d'elle une attention, une présence, un dévouement de tous les instants, avait-elle cru. Mais elle comprenait aujourd'hui que cela avait été sa manière d'accepter une partie de la réalité, sans l'accepter tout entière.

Parvenue à leur chambre à coucher, Julie plaça une chaise dans l'encadrement de la porte et s'y assit. Tandis qu'elle contemplait le lit où s'était éteint son mari, toute leur vie de couple défila sous ses yeux. Fêtes, projets, voyages, étreintes, avec ces petits flashs impérissables du quotidien: clins d'œil inattendus, sourires coquins ou fous rires magistraux de Bernard.

Après qu'elle eut fait le deuil de ses parents, ils avaient été heureux et insouciants, jusqu'à ce que la maladie frappe. Soucieux et confiants, jusqu'à ce que Bernard quitte son emploi trois ans plus tard et s'occupe dans les limites de l'appartement. Incertains et combatifs, jusqu'à ce qu'il retraite dans leur chambre deux ans plus tard et engage une infirmière à domicile. Résignés et révoltés ensuite, Bernard de plus en plus résigné, Julie de plus en plus révoltée.

Elle ne s'étonnait plus de ce que Tom ait pu entrer dans sa vie à la fin de ce périple, au moment même où elle professait avec tant d'arrogance sa confiance inébranlable en une rémission complète ou en un remède miracle pour son mari. Y avait-elle cru vraiment? Si elle y avait cru, pourquoi tant de cauchemars, de crises de panique, de terreurs à la moindre séparation, ne fût-ce que de quelques heures? Pourquoi toutes ces peurs «pour» Bernard que Tom avait assimilées à des peurs «de» Bernard?

Non, Tom était entré en elle parce que sans le savoir elle avait déjà en partie fait le deuil de Bernard. Et parce que dans cet hôtel de Saint John's, elle s'était ressouvenue de l'existence du temps en étant tout simplement sa prisonnière. Sa foi aveugle en la guérison de son mari, son absence de doute sur l'heureuse issue de sa maladie, toutes les illusions de ces dernières années découlaient d'une stratégie désespérée pour contrer la douleur d'une troisième perte, après celle de ses parents.

Depuis la disparition de Bernard, d'ailleurs, les crises de panique avaient cessé. Mais le temps était revenu la hanter lors de ses voyages à New York, avec son cortège d'incertitudes, d'imprévus et de pertes à l'horizon...

*

La sonnerie du téléphone sortit Julie de ses méditations. Au bout du fil, Suzanne. Elle était dans les parages et souhaitait lui rendre visite. Alain les rejoindrait dans une heure ou deux.

— Et puis, j'ai fait de la popote hier, ajouta Suzanne d'une voix maternelle. Je te laisserais des pâtés au poulet, des tourtières du Lac-Saint-Jean et des galettes aux

245

raisins comme tu les aimes. Tu les mettras au congélateur.

— Suzanne, tu me gâtes trop! Un jour, il faudra venir me voir avec les mains vides. Ça te reposera un peu.

— Mais cuisiner me relaxe, ma chérie. Sincèrement!

En la matière, il était inutile d'opposer ses arguments à ceux de Suzanne, elle aurait toujours le dernier mot.

Julie se plaça à la fenêtre pour surveiller l'arrivée d'une Mercury blanche et aller à la rencontre de son amie, ce petit bout de femme énergique et gaie qui avait repris goût à la vie d'une façon admirable. Avec sa finesse d'esprit et sa générosité de cœur, Suzanne lui faisait penser à sa mère qui aurait eu, sinon le même âge physique, du moins le même âge moral.

Quelques minutes plus tard, Julie la suivait dans la cuisine. Elle la regardait remplir le congélateur, sortir de son sac à main une boîte de vitamine C qu'elle venait de lui acheter, puis leur préparer une tisane comme si elle était chez elle. Et Julie aimait cette familiarité-là. Parce qu'elle croyait avoir perdu sa mère à jamais, se disait-elle intérieurement, or Suzanne était bel et bien là...

— Tu as l'air soucieuse, Julie.

— Non, je suis juste fatiguée. J'ai beaucoup de paperasse à remplir.

— Alors tout va bien?

Julie hocha la tête. Suzanne devait être au courant de l'arrivée de Tom à Montréal. Ce n'était probablement pas un hasard, ce coup de fil au milieu d'un après-midi gris et neigeux. D'autant plus que Suzanne n'aimait pas conduire dans la neige. Puis elle n'était pas comme d'habitude: il y avait quelque chose de retenu dans son attitude.

Les femmes entamèrent leur conversation amicale habituelle. Assise au bout de la table, Julie sirotait sa tisane. Régulièrement, elle jetait un coup d'œil rêveur par la fenêtre tandis que son amie parlait. Mais plus Julie était calme et plus Suzanne se montrait nerveuse. Pour n'importe quel prétexte, cette dernière se précipitait vers le comptoir ou le réfrigérateur. Et en revenant à la table, elle surprit plus d'une fois Julie en train de fixer le fond de sa tasse. N'en pouvant plus, elle s'écria:

— À quoi tu penses?

— Oh, excuse-moi! J'étais dans la lune.

La quiétude de Julie sembla doublement alarmer Suzanne qui avoua tout de go:

— Je sais qu'il est à Montréal. Il est venu pour toi. Tu ne veux pas qu'on en parle?

— Pas vraiment, répondit Julie, l'air absent.

Suzanne s'approcha d'elle, lui caressa les cheveux d'un geste qui se voulait anodin et demanda:

— Tu ne voudrais pas que je te les brosse un peu?

Julie hocha la tête négativement. Alors Suzanne lui enserra le visage entre ses mains.

— Ma chérie, ces derniers mois quand tu t'absentais de Montréal soi-disant pour affaires, tu retournais voir Tom au théâtre, n'est-ce pas?

— Ne t'inquiète pas pour moi, se contenta de répondre Julie.

— Au contraire, je dois m'inquiéter pour deux dans cette histoire, pour lui et toi.

Julie se leva, mal à l'aise, et changea de sujet:

— Si tu veux t'étendre avant qu'Alain...

— Julie, Julie, où es-tu? Dès qu'on parle de Tom, tu t'esquives, tu t'enfuis.

Julie revint sur ses pas et enlaça Suzanne.

— Je suis toujours là pour toi...

Avant de quitter la pièce, elle réitéra son invitation:

— Repose-toi dans ma chambre, Suzanne.

— Et toi, qu'est-ce que tu vas faire?

— Lire.

Elle se dirigea vers une porte au fond du salon, l'ouvrit et descendit l'escalier intérieur qui menait à son bureau dans la librairie. Avant de s'asseoir à son secrétaire, elle rendit visite à Évelyne et s'informa si tout allait bien.

—Tout est sous contrôle, déclara la jeune fille, je fermerai le magasin comme d'habitude.

Le cœur battant la chamade, Julie glissa la main dans le tiroir du secrétaire et en sortit le petit paquet qu'elle y avait déposé au retour de Saint John's et qui avait grossi au cours des mois. Elle défit le papier d'emballage et, les mains tremblantes, examina d'abord le roman de son adolescence qu'elle avait sous les yeux. Elle n'avait pas touché depuis dix mois à ses pages défraîchies, et elle y trouva l'invitation à déjeuner de Tom; elle se rappelait encore sa hâte à cacher l'enveloppe dans le livre avant d'ouvrir la porte à son auteur. Son prénom seul, Julie, tracé à l'encre verte, courait sur l'enveloppe qui était restée exactement à l'endroit où elle l'avait mise.

Puis elle considéra quatre lettres timbrées de New York, chacune postée le 5e jour des mois suivant celui de mars. À la vue de son adresse calligraphiée avec soin et vigueur, un frisson la parcourut. Ni l'invitation ni les lettres n'avaient été décachetées. Elle hésita un instant, jeta un regard furtif sur la photographie de Bernard, puis se pencha avec émotion sur leur contenu...

C'étaient quatre longues lettres où Tom s'enquérait de sa santé, lui apprenait qu'il avait déménagé à New York et choisi de se consacrer au théâtre pour deux ou trois ans. Avec assurance et détermination, il lui faisait part des récents changements dans sa vie et de sa nouvelle vision des choses. Il avait mis un terme à sa relation avec Luma dans la semaine qui avait suivi son retour chez lui, car vivre en célibataire lui paraissait inévitable si la vie à deux ne devait jamais être à la hauteur de leur rencontre à Saint John's. Enfin avec tact mais chaleur, il renouvelait l'expression de son amour pour elle.

Bouleversée, Julie terminait la lecture de la quatrième lettre lorsque la porte de son bureau s'ouvrit. Alain apparut, le manteau sur le dos, les yeux remplis de colère. Il claqua la porte derrière lui.

— Écoute-moi bien, ma fille! J'ai joué le jeu! J'ai fait tout ce que tu m'as demandé de faire depuis la mort de Bernard, c'est-à-dire mentir effrontément à Tom à ton propos. Mais là, ça suffit! Tom vient de me téléphoner pour m'annoncer qu'il repartait à New York ce soir, alors qu'il vient tout juste de débarquer. Il ne m'a rien dit d'autre, parce que c'est un homme honnête et qu'il n'a jamais osé prononcer ton nom devant moi. Mais je ne suis pas né de la dernière pluie! Si un amoureux a des raisons pour garder le silence, un pè... un ami n'en a aucune!

Alain reprit son souffle, jeta son manteau sur un fauteuil, sans voir le trouble de Julie qui pressait une lettre de Tom sur son cœur, et il déclara:

— Je n'ai qu'une chose à te dire! Vas-tu finir par te pardonner une fois pour toutes?

— Me pardonner? répéta-t-elle en se levant de sa chaise.

— Oui, te pardonner! Mais sais-tu au moins quelle est ta faute, hein? J'ai une idée que dans ta petite tête, ç'a à voir avec Bernard. Eh bien, moi, je vais te dire ce que je pense. La seule faute que tu as faite, c'est de te refuser le droit à ta propre existence! Et cette faute-là, tu l'as faite avant même de rencontrer Tom, en déniant la maladie de ton mari au risque de te détruire, au péril même de ta raison!

La lettre de Tom glissa sur le secrétaire, et Julie posa la main entre ses seins. Malgré sa détermination à ne rien laisser paraître de son malaise, elle ne put berner Alain. La colère de ce dernier s'évanouit et il la prit dans ses bras:

— Ce n'est pas ton cœur qui te fait mal, ma petite fille, c'est ton refus que Tom y prenne place.

— Tu ne peux pas comprendre, Alain! s'écria-t-elle. Quand ma mère est partie, quand mon père a sombré dans la folie, j'ai voulu mourir, mourir... Et après, ce fut Bernard.

Le vieil homme acquiesçait. Ses yeux fatigués, aux paupières ridées, semblaient destinés à recevoir toute la douleur du monde.

— Ce n'est pas la mort que je hais, c'est la vie! poursuivit-elle, fébrile. Je ne suis pas faite pour elle.

— Toi? Tu veux me faire croire ça, toi? Tu aimes la vie bien plus que tu ne le penses. Si tu ne l'aimais pas autant, il n'y aurait pas de lutte en toi au sujet de Tom. Si tu ne l'aimais pas autant, tu ne t'encombrerais pas de nous tous.

Et il désigna du doigt les cadres qui occupaient une surface importante du secrétaire.

Lui répondit une petite voix où la conviction faiblissait:

— J'ai tout fait pour me détacher de la vie, Alain, tout...

— Ça n'a pas très bien marché, on dirait. À Saint John's, c'est ta vraie nature qui a repris le dessus. Tu t'attaches aux gens, Julie, avec une passion rare et belle, pourquoi ne pas le reconnaître? Tu ne te pardonnes pas de désirer vivre et aimer à nouveau, après la disparition des êtres chers.

Julie chancela, la douleur au cœur s'était accrue. Alain l'entraîna vers le sofa qui longeait un mur du bureau.

— Cesse de lutter contre toi-même, Julie! Arrête de marcher sur ton cœur! C'est toi qui te fais mal en ce moment! Écoute-moi bien!

Alain prit le menton de la jeune femme et prononça d'un ton affectueux:

— Un jour, Suzanne et moi, on partira à notre tour, et il n'y aura pas de raison pour que ce soit une tragédie. D'abord, parce qu'on aura été heureux, mais surtout, oui, surtout, et n'oublie jamais ce que je vais te dire, parce que partir, ça fait partie du voyage. Tu entends?

Julie hocha la tête, les larmes aux yeux.

— C'est ça la vie, Julie. On vient au monde sans l'avoir demandé et on le quitte sans l'avoir prévu. Entre les deux, faut s'arranger avec ce qu'on a voulu, ce qu'on n'a pas voulu et ce qu'on n'aura jamais. On peut endurer le voyage comme un prisonnier qui rêve de l'impossible à travers les barreaux de sa cellule. Mais on peut aussi l'assumer, comme un jardinier qui transforme son lopin de terre en un potager luxuriant.

Alain regarda Julie avec une infinie tendresse et ajouta:

— Ne perds pas ta vie enfermée dans une prison. Parce que dans le même espace, tu peux recréer un paradis.

Ébranlée par ces paroles, elle balbutia:

— J'ai si peur qu'il disparaisse un jour, à son tour...

— Oui, c'est vrai que le jardinier peut perdre sa récolte à cause du gel ou de la sécheresse. Mais s'il n'accepte pas de courir ce risque, il ne courra jamais la chance de goûter aux fruits de sa propre terre.

Julie se mit à trembler. Les paroles d'Alain la traversaient de part en part avec une telle violence! Elle détourna la tête et chercha le visage de Bernard sur son secrétaire. Alain, qui avait suivi son regard, conclut:

— Il n'y a pas de garantie dans la vie, ni sur les sentiments ni sur les êtres humains. Tu sais pourquoi? Parce que l'amour est un privilège et non une possession. Le bonheur s'avère le fruit d'un travail ardu, souvent douloureux, mais jamais de la chance.

Julie qui cherchait désespérément à se contrôler éclata en sanglots. Et ce fut de longues plaintes, semblables à celles d'un animal blessé, qui s'élevèrent et remplirent la pièce. Et ce fut une peine d'amour sans fin, sans fond, qui remonta à la surface et brisa ses dernières résistances.

Alain se contentait de la bercer dans ses bras en répétant:

— Pleure, ma chérie, ça va te faire du bien... vide-toi... allège-toi...

Les pleurs lentement s'atténuèrent, les gémissements s'adoucirent et le silence reprit graduellement possession de la jeune femme. Quand elle retrouva la voix, elle murmura:

— Ils me manquent tous, tellement!

— Oui, mais dis-toi qu'on ne perd jamais rien ni personne définitivement. Ils font partie de toi maintenant.

Elle se redressa, l'air intrigué, et joua durant un moment avec cette idée:

— De moi?... Bien sûr... De moi...

En disant «moi», elle pointait machinalement les doigts vers son cœur. Puis elle posa la paume entre ses seins et s'étonna:

— Ma douleur a cessé...

Et tout à coup, écarquillant les yeux et se frappant le front, elle poussa un cri:

—Tom!

À peine s'était-elle exclamée que Julie saisissait le livre sur son secrétaire et s'engouffrait dans les escaliers. Son épuisement se convertissait soudain en énergie pure, explosive, inépuisable. Elle fit irruption dans le salon dans un tel vacarme que Suzanne, qui se reposait dans sa chambre, en sortit affolée. Elle remarqua la mine défaite de Julie, le désordre de ses cheveux, ses vêtements froissés, et se sentit triplement inquiète:

— Mon Dieu! Qu'est-ce qui t'arrive?

Mais Julie n'entendit pas. Elle courait d'un bord à l'autre de l'appartement, enlevait sa jupe et sa blouse, et en remettait de nouvelles, tout en ramassant différents objets.

— Il faut en parler! ordonna cette fois Suzanne en saisissant le bras de Julie au passage. Tom est venu pour...

— Ils font partie de moi! l'interrompit Julie. De moi! Tous!

Et elle reprit sa course dans la maison, en affichant un sourire triomphant malgré ses yeux bouffis et son teint cramoisi.

— Mais qu'est-ce que tu vas faire enfin? s'impatienta Suzanne.

— Me pardonner! Me pardonner! proclama-t-elle haut et fort.

Sur les entrefaites, Alain qui montait du bureau apparut dans le salon. Suzanne se précipita vers lui, tout à fait paniquée.

— Ça va aller, la rassura son mari. J'ai l'impression que notre Julie veut rejoindre Tom à l'aéroport avant dix-huit heures.

Suzanne regarda sa montre et s'écria:

— Mais c'est trop tard!

— Non, Suzanne! lança Julie qui traversait la cuisine. Il ne sera plus jamais trop tard! J'ai retrouvé le temps!

Alors la vieille dame s'élança à son tour à travers l'appartement sur les traces de Julie dont elle replaçait le collet de la blouse ou pressait du revers de la main les plis de la jupe. Tantôt une houppette à la main, tantôt une brosse au bout du bras, elle dissimulait les rougeurs sous la poudre ou matait les mèches rebelles de la chevelure. Enfin, un petit balai sous les doigts, elle nettoyait le manteau que Julie enfilait en finissant de remplir son sac à main. Puis la jeune femme prit le livre qu'elle y avait placé, en retira une enveloppe et offrit le roman à Suzanne:

— Peut-être aimerais-tu le relire au complet? Je te le donne. Il fait partie d'une autre vie.

Suzanne accepta le présent en serrant les mains de Julie entre les siennes.

Quelques minutes encore de branle-bas général, et la jeune femme fonçait enfin vers la porte d'entrée.

— Julie?

Elle se retourna et Alain lui lança les clefs de sa voiture:

— Prends la mienne, elle a ses pneus d'hiver!

Suzanne et Alain se tenaient enlacés dans l'encadrement de la porte de cuisine, un sourire accroché à leurs lèvres. Leurs regards attendris révélaient le bonheur que l'attitude de leur fille leur procurait. Leur posture, leurs visages, ce moment précis du jour: souvenir inoubliable! Julie courut vers eux. En silence, ils se serrèrent très fort tous les trois. Puis Julie disparut en coup de vent.

*

— L'avion est parti, déclara l'hôtesse devant la porte d'embarquement du vol Montréal-New York.

— Parti? s'exclama Julie, essoufflée par sa course effrénée à travers les couloirs de l'aéroport.

— Oui, il y a vingt minutes.

La surprise déstabilisa un bref instant Julie qui resta immobile et sans voix. Puis, comme si elle revenait à elle, elle affirma:

— Non, «il» n'est pas parti.

— Si, je vous assure, rétorqua l'hôtesse.

Julie recula et la dévisagea d'un air incrédule.

— C'est impossible!

— Puisque je vous le dis, madame. Sans une minute de retard.

Une étincelle brilla dans les yeux de Julie. Un sourire ironique se dessina sur ses lèvres et elle s'éloigna en répétant:

— Je ne vous crois pas!

L'employée regarda sa collègue en haussant les épaules.

— Un autre cas désespéré, chuchota-t-elle.

Julie reprit les couloirs qu'elle avait traversés, mais cette fois d'un pas lent. Elle étudiait les visages des gens sur son passage, prenait son temps pour examiner les lieux. Enfin elle s'immobilisa et balaya des yeux l'espace devant elle. Après quelques minutes, elle suspendit son inspection, avança vers les fenêtres qui longeaient la façade de l'aéroport, et devant lesquelles se trouvaient des bancs. Elle en repéra un et s'assit.

Elle se mit d'abord à rire doucement, une main de chaque côté de la tête. Des gens lui jetèrent un œil étonné, d'autres, un œil inquiet, mais elle n'en fit aucun cas. Puis elle se mit à rire plus fort. Un couple la fusilla du regard. Elle entendit le mot «bizarre» circuler entre eux. Après un moment, elle se tourna vers l'homme assis à l'autre bout du banc et qui jouait avec un billet d'avion entre les doigts:

— Tu as préféré me laisser courir plutôt que de m'avertir que tu étais là, hein? demanda-t-elle enjouée.

Tom feignit de ne pas la connaître.

— Je ne comprends pas, mademoiselle, moi, mon avion décolle...

— Tu as bien fait, l'interrompit-elle. Tu m'as mise à l'épreuve?

Il hocha la tête négativement et, après une hésitation, répondit:

— Je ne sais pas de quoi vous parlez. Mais est-ce que je peux vous poser une question?

— Vas-y!

— En vous précipitant dans ce couloir tantôt, vous paraissiez affolée, mais vous en êtes ressortie plutôt apaisée. Pourquoi?

— J'étais sûre que tu n'étais pas parti.

— Pourquoi?

— Parce que tu étais sûr que je ne pouvais pas rester.

Et Tom glissa sur le banc et étreignit Julie.

— Tu as raison, chérie! Je suis tellement heureux que mes certitudes soient devenues les tiennes!

— Je ne rêve donc pas, mon amour! murmura-t-elle, pelotonnée dans ses bras.

— C'est ce que je me suis dit en te voyant arriver tantôt. Je ne savais pas que la vie était mille fois plus complexe que tout ce que j'avais joué au théâtre ou au cinéma.

— Moi non plus. Mes livres, mes paperasses, tout le bourdonnement des abeilles dans la ruche, c'est si reposant d'une certaine façon.

— Apprendre des centaines de répliques par cœur, trembler aux premières, sacrifier toute sa jeunesse à son ambition, c'est tellement plus facile que de dire «je t'aime»... J'aime pour la première fois, chérie.

— Il n'y a pas de seconde fois, Tom. Dans l'amour, chaque fois est une première fois.

Tom embrassa Julie avec ferveur. Puis il lui glissa à l'oreille:

— T'as vu la tempête de neige?

— L'hiver, ça fait aussi partie de l'été, répondit-elle avec fierté.

— Tu te rappelles notre été? demanda-t-il, avec un sourire ravageur.

Elle hocha lentement la tête de haut en bas.

— Tu veux y retourner?

Elle déposa un baiser mouillé sur ses lèvres pour toute réponse.

Tom se leva en entraînant Julie blottie dans ses bras. Ils firent quelques pas, titubants de bonheur.

— Ça s'adonne bien, chérie, j'ai déjà réservé notre été. À l'hôtel d'à côté, dans une petite chambre au cinquième étage, face à l'ascenseur.

Julie sortit de sa poche une enveloppe:

— Alors ton invitation à déjeuner tient toujours?

— Pour toujours, la corrigea-t-il. Jusqu'à New York, Julie?

— Oh, plus loin encore, Tom! Jusqu'à la Vie...

— Et Montréal?

— Notre autre chez-nous, si tu veux.

— Je le veux, dit-il.

Et les amoureux disparurent dans la foule, en emmenant pour tout bagage leur rêve le plus précieux entre leurs bras.

À PARAÎTRE EN AVRIL 1998

Le Rêve de Justine
Michèle Brabant

Justine Décarie vit seule et recluse dans sa propriété de campagne depuis deux ans. Survient Mathieu Cardinal, embauché pour réparer la demeure. Ces deux êtres déçus par la vie se confient graduellement, l'une le drame qu'elle a vécu, l'autre, son ambition insatisfaite. Et au gré des rencontres, les voilà qui se révèlent leur désir de nouvelles professions qui puissent les combler. Ils scellent donc le pacte de s'épauler mutuellement dans leurs futures carrières, fût-ce au prix du plus grand sacrifice amoureux... Car Mathieu est marié.

Le rêve de Justine met en scène la ténacité d'une femme et d'un homme qui, durant douze ans, charpenteront leur vie personnelle à la dimension de leurs rêves: elle devient écrivaine et lui ingénieur. Que des villes ou des océans les séparent ne les empêchera pas de rester fidèles à leur serment. Mais quand le hasard les fera brusquement se croiser à nouveau, comment réagiront-ils? Pourront-ils incarner enfin leur amour dans la réalité?

CET OUVRAGE
COMPOSÉ EN GARAMOND CORPS 14 SUR 16
A ÉTÉ ACHEVÉ D'IMPRIMER
LE VINGT-NEUF JANVIER MIL NEUF CENT QUATRE-VINGT-DIX-HUIT
POUR LE COMPTE DE
VLB ÉDITEUR.

IMPRIMÉ AU QUÉBEC (CANADA)